GRANDE MAGIA

ELIZABETH GILBERT

GRANDE MAGIA

VIDA CRIATIVA SEM MEDO

Tradução
Renata Telles

9ª reimpressão

Grafia atualizada segundo o Acordo Ortográfico da Língua Portuguesa de 1990, que entrou em vigor no Brasil em 2009.

Título original
Big Magic

Capa
Adaptação de Newton Verlangieri sobre capa original de Helen Yentus

Imagens de capa
Henry Hargreaves

Preparação de originais
Diogo Henriques

Revisão
Fernanda Vilanova
Tereza da Rocha
André Marinho

CIP-Brasil. Catalogação na fonte
Sindicato Nacional dos Editores de Livros, RJ

G393g
Gilbert, Elizabeth
Grande Magia: Vida criativa sem medo/ Elizabeth Gilbert; tradução Renata Telles. – 1. ed. – Rio de Janeiro: Objetiva, 2015.
192p.

Tradução de: Big Magic.
ISBN 978-85-390-0710-3

1. Teoria do autoconhecimento. 2. Técnicas de autoajuda. I. Título.

15-25086 CDD: 158.1
CDU: 159.947

EDITORA SCHWARCZ S.A.
Praça Floriano, 19, sala 3001 — Cinelândia
20031-050 — Rio de Janeiro — RJ
Telefone: (21) 3993-7510
www.companhiadasletras.com.br
www.blogdacompanhia.com.br
facebook.com/editoraobjetiva
instagram.com/editora_objetiva
twitter.com/edobjetiva

Este é para você, Rayya

P: O que é a criatividade?
R: É o relacionamento entre um ser humano e os mistérios da inspiração.

Sumário

Coragem

Tesouro escondido

Era uma vez um homem chamado Jack Gilbert, que, infelizmente, não era meu parente.

Jack Gilbert foi um grande poeta, mas, se você nunca ouviu falar dele, não se preocupe. A culpa não é sua. Ele nunca se importou muito em ser conhecido. Mas eu o conhecia — ainda que não pessoalmente — e nutria por ele um grande afeto, então vou lhe contar um pouco a respeito dele.

Jack Gilbert nasceu em Pittsburgh, em 1925, e cresceu em meio à fumaça, ao barulho e às usinas da cidade. Trabalhou em fábricas e siderúrgicas quando jovem, mas desde cedo demonstrou vocação para escrever poesia. Atendeu ao chamado da vocação sem hesitar. Tomou a poesia da maneira como outros homens tomam o ato de se tornar um monge: como uma prática devocional, um ato de amor e um compromisso vitalício com a busca da graça e da transcendência. Imagino que essa seja uma excelente maneira de se tornar poeta. Ou, para falar a verdade, de se tornar qualquer coisa que inspire seu coração e lhe dê vida.

Jack poderia ter sido famoso, mas essa não era sua praia. Tinha o talento e o carisma para a fama, mas nunca teve o interesse. Sua primeira coletânea de poemas, publicada em 1962, venceu o prestigioso prêmio de Yale para jovens poetas e foi indicada ao Pulitzer. E, como se não bastasse, conquistou ainda público e crítica, tarefa nada fácil para um poeta no mundo moderno. Havia algo nele que atraía as pessoas e as mantinha cativadas. Era bonito, intenso, sexy e brilhante no palco. Um ímã para as mulheres e um ídolo para os homens. Em fotos tiradas para a revista *Vogue*, aparece lindo e com um ar romântico. As pessoas eram loucas por ele. Poderia ter sido um astro do rock.

Em vez disso, ele desapareceu. Não queria se deixar distrair por toda a comoção. Anos mais tarde, afirmou que achava sua fama entediante — não porque fosse imoral ou pudesse corrompê-lo, mas pelo simples fato de que era exatamente a mesma coisa todos os dias. Buscava algo mais profundo, mais substancioso, mais variado. Então largou tudo. Foi viver na Europa e lá ficou por vinte anos. Morou por um tempo na Itália e na Dinamarca, mas passou a maior parte dessas duas décadas na Grécia, em uma cabana no topo de uma montanha. Lá contemplava os mistérios eternos, assistia à mudança das luzes e escrevia seus poemas sem ser incomodado. Teve suas histórias de amor, seus obstáculos, suas vitórias. Foi feliz. Conseguiu se sustentar fazendo trabalhos esporádicos aqui e ali. Precisava de pouco. Deixou que seu nome fosse esquecido.

Após duas décadas, Jack Gilbert ressurgiu e publicou outra coletânea de poemas. Mais uma vez, o mundo literário se apaixonou por ele. Mais uma vez, teve a chance de ser famoso. E, mais uma vez, desapareceu — dessa vez por uma década. Esse padrão sempre se repetia: isolamento seguido pela publicação de algo sublime, seguida por mais isolamento. Era como uma orquídea rara, florescendo apenas de muitos em muitos anos. Nunca fez o menor esforço para se promover. (Em uma das poucas entrevistas que Gilbert deu na vida, perguntaram-lhe como achava que seu distanciamento do mundo editorial tinha afetado sua carreira. Ele riu e disse: "Imagino que tenha sido fatal".)

A única razão pela qual ouvi falar de Jack Gilbert foi que ele voltou aos Estados Unidos já bem tarde na vida e — por motivos que nunca saberei — aceitou um cargo temporário de professor no departamento de Escrita Criativa da Universidade do Tennessee, em Knoxville. Por acaso, no ano seguinte, 2005, aceitei exatamente o mesmo cargo. (Pelo campus começou a correr a piada de que aquela era a "cátedra Gilbert".) Encontrei os livros de Jack Gilbert em minha sala — a mesma sala que ele havia ocupado. Era quase como se eu ainda pudesse sentir o calor de sua presença no lugar. Li seus poemas e fui arrebatada por seu esplendor e pela maneira como sua poesia me lembrava a de Whitman. ("Precisamos assumir o risco do júbilo", escreveu. "Precisamos ter a obstinação de aceitar nossa felicidade em meio às cruéis provações deste mundo.")

Ele e eu tínhamos o mesmo sobrenome, ocupamos o mesmo cargo e a mesma sala, ensinamos muitos dos mesmos alunos e agora eu estava apaixonada por suas palavras; naturalmente, comecei a desenvolver uma profunda curiosidade a respeito dele. Saí perguntando: Quem era Jack Gilbert?

Os alunos me contaram que era o homem mais extraordinário que já haviam conhecido. Parecia não ser deste mundo, disseram. Parecia viver em um estado de constante encantamento, e os incentivava a fazer o mesmo. Não os ensinou exatamente *como* escrever poesia, disseram, mas *por quê*: pelo júbilo. Pela felicidade obstinada. Disse a eles que precisavam viver com o máximo de criatividade para se defenderem das cruéis provações deste mundo.

Acima de tudo, porém, pedia aos alunos que fossem corajosos. Sem coragem, nunca conseguiriam concretizar a vasta extensão das próprias capacidades. Sem coragem, nunca conheceriam o mundo de maneira tão rica quanto ele anseia ser conhecido. Sem coragem, suas vidas permaneceriam pequenas — muito menores do que provavelmente queriam que fossem.

Nunca conheci Jack Gilbert pessoalmente e agora ele se foi — faleceu em 2012. Eu poderia ter assumido a missão pessoal de procurá-lo e conhecê-lo em vida, mas nunca quis. (A experiência me ensinou a ser cautelosa quanto a encontrar meus heróis em pessoa; pode ser extremamente decepcionante.) De qualquer forma, sempre gostei da maneira como ele vivia em minha imaginação, como uma enorme e poderosa presença, construída a partir de seus poemas e das histórias que eu tinha ouvido a respeito dele. Então decidi conhecê-lo somente dessa maneira — por meio da imaginação. E é aí que ele ainda se encontra para mim até hoje: vivo dentro de mim, completamente internalizado, quase como se fosse um produto dos meus sonhos.

Mas nunca vou esquecer o que o verdadeiro Jack Gilbert disse a outra pessoa — uma pessoa de verdade, de carne e osso, uma tímida estudante da Universidade do Tennessee. Essa jovem me contou que, certa tarde, depois da aula de poesia, Jack a chamou à parte. Elogiou seu trabalho, depois perguntou o que ela queria fazer da vida. Hesitante, a aluna admitiu que talvez quisesse ser escritora.

Ele sorriu com infinita compaixão para a menina e perguntou: "Você tem a coragem necessária? Tem coragem de trazer à tona esse trabalho? Os tesouros escondidos dentro de você estão esperando que você diga *sim*".

O que é viver criativamente

Esta, acredito, é a pergunta central da qual depende toda a vida criativa: *Você tem coragem de trazer à tona os tesouros que estão escondidos dentro de você?*

Olhe, não sei o que está escondido dentro de você. Não tenho como saber. Talvez você mesmo mal saiba, embora eu suspeite que tenha tido vislumbres. Não conheço suas capacidades, suas aspirações, seus desejos, seus talentos secretos. Mas há certamente algo maravilhoso guardado dentro de você. Digo isso com total confiança, pois acredito que somos todos repositórios ambulantes de tesouros escondidos. Acredito que essa seja uma das peças mais antigas e generosas que o universo vem pregando em nós, seres humanos, tanto para sua própria diversão quanto para a nossa: ele enterra estranhas joias bem no fundo de todos nós, depois se afasta e fica observando para ver se conseguimos encontrá-las.

A caça para encontrar esse tesouro: isso é viver criativamente.

A coragem, para início de conversa, de se lançar nessa caça: isso é o que separa uma existência mundana de uma existência mais mágica.

Os resultados dessa caça, muitas vezes surpreendentes: é isso que chamo de Grande Magia.

Uma existência mais ampla

Quando falo aqui de "viver criativamente", entenda que não estou necessariamente falando de buscar uma vida que seja dedicada profissional ou exclusivamente às artes. Não estou dizendo que você precisa virar poeta e ir morar no topo de uma montanha na Grécia, que precisa se apresentar no Carnegie Hall ou vencer a Palma de Ouro em Cannes. (Mas, se quiser tentar qualquer um desses feitos, *vá em frente*. Adoro ver as pessoas dando o máximo de si.) Não; quando falo de "viver criativamente", estou falando de maneira mais ampla. Estou falando de viver uma vida mais motivada pela curiosidade do que pelo medo.

Um dos exemplos mais legais de vida criativa que vi nos últimos anos veio de minha amiga Susan, que começou a fazer patinação artística aos quarenta anos. Para ser mais precisa, na verdade ela já sabia patinar. Tinha participado de competições de patinação artística quando criança e sempre amara fazê-lo, mas abandonou o esporte durante a adolescência, quando ficou claro que não tinha talento suficiente para se tornar uma campeã. (Ah, a adorável adolescência, quando os "talentosos" são oficialmente separados do resto do rebanho, colocando assim todo o fardo dos sonhos criativos da sociedade nos frágeis ombros de algumas poucas almas seletas e condenando todo o resto a viver uma existência mais banal, livre de inspiração! Que sistema...)

Durante os 25 anos seguintes, minha amiga Susan não patinou. Para que se dar ao trabalho se você não pode ser a melhor? Então ela completou quarenta anos. Estava cansada, inquieta. Sentia-se apagada e pesada. Fez um exame de consciência, como costumamos fazer nessas datas. Perguntou-se quando tinha sido a última vez que se sentira realmente leve, alegre e — sim — criativa na própria pele. Para seu espanto, percebeu que havia décadas que não se sentia assim. Na verdade, a última vez que experimentara esses sentimentos tinha sido na adolescência, na época em que ainda fazia patinação artística. Ficou chocada ao descobrir que havia se negado essa prática tão estimulante por tanto tempo e curiosa para ver se ainda era algo que amava.

Resolveu então se render à curiosidade. Comprou um par de patins, encontrou um rinque e contratou um treinador. Ignorou a voz interior que lhe dizia que estava sendo autocomplacente e ridícula por fazer essa loucura. Bloqueou os sentimentos de extremo desconforto por ser a única mulher de meia-idade no rinque em meio a todas aquelas minúsculas e levíssimas meninas de nove anos.

Simplesmente foi lá e fez.

Três vezes por semana, Susan acordava antes do amanhecer e, ainda sonolenta, antes de ir trabalhar, patinava. E patinava, e patinava, e patinava. E, sim, continuava amando patinar, tanto quanto sempre amara. Talvez até mais do que nunca, pois agora, já adulta, finalmente tinha maturidade suficiente para apreciar o valor da própria alegria. Patinar fazia com que se sentisse viva, imune ao passar do tempo. Deixou de sentir que era nada além de uma consumidora, nada além da soma de suas obrigações e de seus deveres diários. Estava fazendo algo por si, algo *para* si.

Era uma reviravolta. Literalmente uma reviravolta, rodopiando sobre o gelo e ganhando vida novamente — reviravolta após reviravolta após reviravolta...

Observe que minha amiga não largou o emprego, não vendeu a casa, não se afastou de todo mundo nem se mudou para Toronto a fim de treinar setenta horas por semana com um rigoroso treinador olímpico. E não, esta história não termina com ela ganhando uma medalha. Não precisa. Na verdade, esta história não termina, pois Susan *ainda* pratica patinação artística diversas vezes por semana — simplesmente porque patinar ainda é para ela a melhor maneira de revelar certa beleza e transcendência em sua vida, que não parecem estar acessíveis de outra maneira. E Susan quer passar o tempo que for possível nesse estado de transcendência enquanto ainda está aqui na Terra.

E isso é tudo.

É isso que chamo de viver criativamente.

E, embora os caminhos e os resultados da vida criativa variem muito de pessoa para pessoa, uma coisa eu garanto: uma vida criativa é uma vida mais ampla. É uma vida maior, mais feliz e muito, muito mais interessante. Viver dessa maneira — contínua e obstinadamente trazendo à tona as joias escondidas dentro de você — é uma arte em si.

Porque é na vida criativa que sempre estará a Grande Magia.

Muito, muito assustador

Agora vamos falar de coragem.

Se você já tem a coragem de trazer à tona as joias escondidas dentro de você, ótimo. Provavelmente já está fazendo coisas de fato interessantes de sua vida e não precisa deste livro. Continue mandando ver.

Mas, se não tem essa coragem, vamos tentar encontrá-la para você. Porque viver criativamente é um caminho para os corajosos. Todos sabemos disso. E todos sabemos que, quando a coragem morre, a criatividade morre com ela. Que o medo é um ferro-velho abandonado onde nossos sonhos são largados para definhar sob o sol escaldante. Isso é de conhecimento geral; às vezes só não sabemos o que fazer a respeito.

Vou listar alguns dos muitos medos que podem estar impedindo você de levar uma vida mais criativa:

Você tem medo de não ter nenhum talento.
Você tem medo de ser rejeitado, criticado, ridicularizado, incompreendido ou — pior de tudo — ignorado.
Você tem medo de não haver mercado para sua criatividade e, portanto, de não haver sentido em correr atrás dela.
Você tem medo de que alguém já tenha feito melhor.
Você tem medo de que todo mundo já tenha feito melhor.
Você tem medo de que alguém vá roubar suas ideias e, por essa razão, acha melhor mantê-las escondidas para sempre no escuro.
Você tem medo de não ser levado a sério.

Você tem medo de que seu trabalho não seja política,
emocional ou artisticamente importante o
suficiente para mudar a vida de alguém.
Você tem medo de que seus sonhos sejam considerados tolos.
Você tem medo de um dia olhar para trás e ver que seus esforços
criativos foram uma enorme perda de tempo, empenho e dinheiro.
Você tem medo de não ter o tipo de disciplina necessária.
Você tem medo de não ter o lugar certo para trabalhar, as
condições financeiras ou a disponibilidade de tempo
para se concentrar em invenções ou novas buscas.
Você tem medo de não ter o tipo certo de treinamento ou formação.
Você tem medo de ser gordo demais. (Não sei exatamente o que
isso tem a ver com criatividade, mas a experiência me ensinou
que a maioria de nós tem medo de ser gordo demais, então
vamos colocar na lista de ansiedades, por via das dúvidas.)
Você tem medo de ser considerado um mercenário,
um idiota, um amador ou um narcisista.
Você tem medo de magoar sua família com o que possa vir a revelar.
Você tem medo do que seus colegas dirão se você
expressar abertamente suas verdades pessoais.
Você tem medo de libertar seus demônios mais profundos,
e na verdade não quer mesmo *confrontá-los.*
Você tem medo de já ter produzido o melhor que podia.
Você tem medo de nunca ter tido a capacidade de
produzir algo de bom, para início de conversa.
Você tem medo de ter negligenciado sua criatividade por tanto
tempo que agora nunca vai conseguir recuperá-la.
Você tem medo de estar velho demais para começar.
Você tem medo de ser jovem demais para começar.
Você tem medo porque alguma coisa deu certo na sua vida uma
vez, então obviamente nada pode dar certo de novo.
Você tem medo porque nada nunca deu certo na sua vida,
então para que se dar ao trabalho de tentar?
Você tem medo de só ter um sucesso.
Você tem medo de não ter nenhum sucesso...

Olhe, não tenho o dia todo, então não vou continuar listando medos. De qualquer forma, é uma lista sem fim e bastante deprimente. Vou apenas encerrar meu resumo com o seguinte: MUITO, MUITO ASSUSTADOR.

Tudo é muito assustador.

Para que defender nossas fraquezas?

Gostaria de esclarecer que a única razão que me permite falar com tanta autoridade sobre o medo é conhecê-lo intimamente. Conheço cada centímetro do medo, da cabeça aos pés. Durante toda a minha vida, fui uma pessoa medrosa. Já nasci apavorada. Não estou exagerando; pergunte a qualquer parente meu e ele confirmará que eu era uma criança excepcionalmente assustada. Minhas memórias mais antigas são de medo, assim como praticamente todas as memórias que vêm depois.

Quando criança, tinha medo não apenas dos perigos legítimos e comumente reconhecidos da infância (do escuro, de estranhos, da parte funda da piscina), mas também de uma longa lista de coisas completamente inócuas (da neve, de babás perfeitamente inofensivas, de carros, de parquinhos, de escadas, da *Vila Sésamo*, do telefone, de jogos de tabuleiro, do mercado, de folhas de grama afiadas, de absolutamente qualquer situação nova, de qualquer coisa que ousasse se mexer etc. etc. etc.).

Eu era uma criatura sensível e facilmente traumatizável, e me debulhava em lágrimas com qualquer perturbação em meu campo de força. Meu pai, irritado, costumava me chamar de Maria Medrosa. Certo verão, quando eu tinha oito anos, fomos para o litoral de Delaware, e o mar me deixou tão perturbada que tentei convencer meus pais a *impedirem todas as pessoas na praia de entrar na água*. (Teria me sentido muito mais à vontade se todo mundo tivesse ficado em segurança na areia, lendo tranquilamente; era pedir muito?) Por mim, teria passado todo aquele período de férias — na verdade, toda a minha infância — em lugares fechados, aninhada no colo de minha mãe, com a luz baixa, de preferência com um paninho umedecido na testa.

É horrível dizer isto, mas aí vai: eu provavelmente teria *amado* ter uma daquelas mães com síndrome de Munchausen por procuração, que se mancomunasse comigo e fingisse que eu estava eternamente doente, fraca e morrendo. Se me tivesse sido dada a chance, teria cooperado plenamente com esse tipo de mãe na criação de uma criança completamente indefesa.

Só que não tive esse tipo de mãe.

Longe disso.

Tive uma mãe que não tolerava nada daquilo. Não tolerava um minuto do meu drama, o que é provavelmente a melhor coisa que poderia ter me acontecido. Minha mãe cresceu em uma fazenda em Minnesota, filha de imigrantes escandinavos durões, e não estava disposta a criar uma chorona. Não sob a supervisão dela. Minha mãe tinha um plano para acabar com meu medo que era quase cômico de tão simples: sempre me forçava a fazer o que eu mais temia.

Está com medo do mar? Entre lá agora!

Está com medo da neve? Pode pegar a pá!

Não consegue atender o telefone? Você agora está oficialmente encarregada de atender o telefone nesta casa!

Não era uma estratégia sofisticada, mas era persistente. Acredite, eu bem que tentava resistir. Chorava, fazia cara feia e fracassava deliberadamente. Recusava-me a progredir. Ficava para trás, me arrastando e tremendo. Fazia quase qualquer coisa para provar que era de fato física e emocionalmente frágil.

Ao que minha mãe respondia: "Não, não é, não".

Passei anos lutando contra a fé inabalável de minha mãe na minha força e nas minhas capacidades. Então, certo dia, em algum momento da adolescência, finalmente percebi que aquela batalha que eu estava travando era muito estranha. Defendendo minha fraqueza? Era naquilo mesmo que eu queria concentrar todos os meus esforços?

É como dizem: "Valorize suas limitações e terá de conservá-las".

Ora, por que eu iria querer manter minhas limitações?

Na verdade, como acabei me dando conta, não queria.

E também não quero que você mantenha as suas.

O medo é chato

No decorrer dos anos, muitas vezes me perguntei o que finalmente me fez parar de fazer o papel de Maria Medrosa quase de um dia para o outro. Sem dúvida, essa evolução envolveu muitos fatores (o fator mãe durona, o fator crescimento), mas acho que o principal foi o seguinte: no fim, percebi que meu medo era chato.

Veja bem, meu medo sempre tinha sido chato para todas as outras pessoas, mas foi só lá pelo meio da adolescência que se tornou, enfim, chato até para mim. Acho que meu medo se tornou chato para mim pela mesma razão pela qual a fama se tornou chata para Jack Gilbert: *porque era a mesma coisa todos os dias.*

Por volta dos quinze anos, de alguma maneira entendi que meu medo não tinha nenhuma variedade, nenhuma profundidade, nenhuma substância. Percebi que meu medo nunca mudava, nunca empolgava, nunca oferecia uma reviravolta surpreendente ou um final inesperado. Meu medo era uma música de uma só nota. Na verdade, uma música de uma só palavra — e essa palavra era "PARE!". Meu medo nunca teve nada de mais interessante ou sutil para oferecer do que aquela única palavra enfática, repetida *ad infinitum*: "PARE, PARE, PARE, PARE!".

O que significa que meu medo sempre tomou decisões previsivelmente chatas, como um livro do gênero Enrola e Desenrola que sempre acaba do mesmo jeito: *em nada.*

Também me dei conta de que meu medo era chato porque era idêntico ao medo de todas as outras pessoas. Percebi que a música do medo de todo mundo tinha exatamente a mesma letra entediante: "PARE, PARE, PARE, PARE!". É verdade, o volume pode variar de uma pessoa para outra, mas a música em si nunca muda, porque todos nós, humanos, somos equipados com o mesmo kit de medo básico quando estamos sendo preparados nos úteros de nossas mães. E não só os humanos: se você passar a mão sobre uma placa de Petri contendo um girino, ele se encolherá sob a sombra da mão. Esse girino não pode escrever poesia, não pode cantar e nunca conhecerá o amor, o ciúme ou o triunfo. Tem o cérebro do tamanho de um ponto final, mas sabe direitinho ter medo do desconhecido.

Pois bem, eu também sei.

Todos nós sabemos. Mas não há nada de particularmente atraente nisso. Está entendendo o que quero dizer? Você não ganha nenhum *crédito especial* por saber como ter medo do desconhecido. Em outras palavras, o medo é um instinto muito antigo e vital em termos evolutivos... mas não é algo particularmente inteligente.

Durante toda a minha curta vida de aflições, tinha me fixado em meu medo como se fosse a coisa mais interessante a respeito de mim, quando na verdade era a mais banal. Na realidade, o medo era provavelmente a única coisa 100% banal a respeito de mim. Tinha dentro de mim uma criatividade original, uma personalidade original, sonhos, perspectivas e aspirações originais. Mas não havia nada de original no meu medo. Não era nenhuma espécie de objeto artesanal raro; não passava de um artigo produzido em massa, disponível nas prateleiras de qualquer grande supermercado.

E era em torno disso que eu queria construir toda a minha identidade?

Do instinto mais chato que eu possuía?

De um reflexo induzido pelo pânico? Um reflexo que até um girino idiota tem?

Não.

O medo necessário e o medo desnecessário

A esta altura você provavelmente deve estar achando que vou dizer que, para levar uma vida mais criativa, é preciso se tornar destemido. Mas não direi isso, pois não acredito que seja verdade. A criatividade é um caminho para os corajosos, mas não para os *destemidos*, e é importante reconhecer a distinção.

Coragem significa fazer algo que nos causa medo.

Destemor significa não entender sequer o que a palavra *medo* significa.

Se sua meta for se tornar destemido, acredito que já esteja no caminho errado, pois as únicas pessoas realmente destemidas que conheci ou eram pura e simplesmente sociopatas ou crianças de três anos excepcionalmente imprudentes — e esses não são bons modelos a serem seguidos por ninguém.

A verdade é que você precisa do medo, por razões óbvias de sobrevivência básica. A evolução fez bem em instalar um reflexo de medo em você, pois, se não tivesse medo nenhum, teria uma vida louca, estúpida e curta. Andaria no meio do tráfego. Sairia vagando pela floresta e seria comido por ursos. Enfrentaria ondas gigantes no litoral do Havaí, mesmo sem saber nadar muito bem. Você se casaria com alguém que dissesse no primeiro encontro: "Não acredito necessariamente que as pessoas tenham sido concebidas pela natureza para serem monógamas".

Então, sim, você, sem dúvida, precisa do medo para se proteger de perigos reais, como os que listei há pouco.

Mas você não precisa do medo no campo da expressão criativa.

É sério, não precisa mesmo.

Mas o fato de você não *precisar* do medo no que diz respeito à criatividade não significa que ele não vá aparecer. Pode acreditar, o medo sempre vai aparecer — especialmente quando você estiver tentando ser inventivo ou inovador. O medo sempre será despertado pela criatividade, pois ela lhe pede que entre em áreas de resultados incertos, e o medo *odeia* resultados incertos. O medo — programado pela evolução para ser hipervigilante e insanamente superprotetor — vai sempre supor que qualquer resultado incerto está destinado a terminar em uma morte terrível e sangrenta. Basicamente, o medo é como um segurança de shopping center que acha que é um militar de operações especiais: não dorme há dias, vive à base de Red Bull e é capaz de atirar na própria sombra em um esforço absurdo para manter todo mundo "em segurança".

Tudo isso é totalmente natural e humano.

Não é nada de que você deva se envergonhar.

É, porém, algo com que precisa lidar.

Pé na estrada

Aprendi a lidar com o medo da seguinte forma: há muito tempo decidi que, se quero a criatividade em minha vida — e quero —, preciso deixar espaço para o medo também.

Bastante espaço.

Decidi que seria necessário construir uma vida interior ampla o suficiente para que meu medo e minha criatividade pudessem coexistir de modo pacífico, uma vez que, ao que tudo indica, estariam sempre juntos. Na verdade, acho que o medo e a criatividade são basicamente gêmeos siameses, como demonstra o fato de a criatividade não conseguir dar sequer um passo à frente sem que o medo esteja caminhando logo ali ao seu lado. O medo e a criatividade dividiram o mesmo útero, nasceram ao mesmo tempo e ainda compartilham alguns órgãos vitais. É por isso que precisamos ser cuidadosos em relação à maneira como lidamos com o medo, pois percebi que, quando as pessoas tentam aniquilá-lo, com frequência acabam inadvertidamente assassinando a criatividade por tabela.

Então não tento aniquilar meu medo. Não declaro guerra contra ele. Em vez disso, dou-lhe bastante espaço. Um espaço enorme. Todos os dias. Estou dando espaço para o medo neste exato momento. Permito que meu medo viva, respire e estique as pernas confortavelmente. Parece-me que quanto menos luto contra meu medo, menos ele contra-ataca. Quando consigo relaxar, o medo relaxa também. Na verdade, convido o medo a vir comigo aonde quer que eu vá. Tenho até um discurso acolhedor preparado para ele, que faço pouco antes de embarcar em um novo projeto ou em uma nova aventura.

É mais ou menos assim:

"Querido Medo, a Criatividade e eu estamos prestes a pegar a estrada juntas. Sei que você virá conosco, pois sempre o faz. Reconheço que você acredita ter um trabalho importante a desempenhar na minha vida e que leva esse trabalho a sério. Ao que parece, seu trabalho é me deixar completamente em pânico sempre que estou prestes a fazer qualquer coisa interessante — e, aliás, você faz um *excelente* trabalho. Então fique à vontade para continuar a fazê-lo caso considere absolutamente necessário. Mas também estarei fazendo meu trabalho durante esta viagem, que é dar duro e permanecer focada. E a Criatividade estará fazendo o trabalho dela, que é permanecer estimulante e inspiradora. Há espaço suficiente no carro para todos nós, então fique à vontade, mas entenda uma coisa: *a Criatividade e eu somos as únicas que vamos tomar decisões durante o percurso.* Reconheço e respeito o fato de que você é parte desta família, e, portanto, nunca o excluirei de nossas atividades, mas ainda assim suas sugestões nunca serão seguidas. Você tem direito a um lugar no carro e a se manifestar, mas não tem direito a voto. Você não pode tocar nos mapas; não pode sugerir desvios de rota; não pode mudar a temperatura do ar-condicionado. Cara, nem encoste no *rádio*. Mas acima de tudo, meu querido e velho amigo, você está terminantemente proibido de dirigir."

E lá vamos nós — eu, minha criatividade e meu medo —, lado a lado para sempre, avançando mais uma vez em direção ao território assustador, porém maravilhoso, do resultado incerto.

Por que vale a pena?

Carregar o medo em uma grande viagem nem sempre é confortável ou fácil, mas sempre vale a pena. Pois se você não conseguir aprender a viajar confortavelmente com seu medo, nunca irá a nenhum lugar interessante nem fará nada de interessante.

E isso seria uma pena, pois a vida é curta, rara, maravilhosa e milagrosa, e você quer aproveitar enquanto ainda está aqui para fazer coisas realmente interessantes. Sei que é isso que você quer para si, porque é o que quero para mim também.

É o que todos queremos.

Você tem tesouros escondidos dentro de si — tesouros extraordinários —, assim como eu e todos aqueles à nossa volta. E trazer esses tesouros à tona requer esforço, fé, foco, coragem e horas de dedicação, e o relógio não para, e o mundo continua a girar, e simplesmente não temos mais tempo para pensar tão pequeno.

Encantamento

Surge uma ideia

Agora que já falamos sobre o medo, podemos finalmente falar da magia. Vou começar lhe contando a coisa mais mágica que já me aconteceu. É sobre um livro que acabei não escrevendo.

A história começa no início da primavera de 2006. Eu tinha acabado de publicar *Comer, rezar, amar* e estava tentando descobrir o que fazer depois disso, em termos criativos. Meus instintos me diziam que era hora de voltar a minhas raízes literárias e escrever um livro de ficção, algo que não fazia havia anos. Na verdade, fazia tanto tempo que não escrevia um romance que estava com medo de ter esquecido completamente como fazê-lo, de não saber mais falar a linguagem da ficção. Mas tinha uma ideia para um romance — uma ideia com a qual estava muito empolgada.

A ideia se baseava em uma história que meu namorado, Felipe, havia me contado certa noite a respeito de algo que aconteceu na década de 1960 em seu país natal, o Brasil. Aparentemente, o governo brasileiro teve a ideia de construir uma rodovia gigantesca que atravessaria a Floresta Amazônica. Isso se deu durante um período de desenvolvimento e modernização desenfreados, e o projeto deve ter parecido incrivelmente inovador. Os brasileiros investiram uma fortuna nesse plano ambicioso, e a comunidade internacional, outros tantos milhões. Uma parte espantosa desse dinheiro imediatamente desapareceu em um buraco negro de corrupção e desorganização, mas por fim uma quantidade suficiente de fundos foi parar nos lugares certos e o projeto da rodovia finalmente teve início. Tudo correu bem por alguns meses. Estavam fazendo progresso. Um curto trecho da estrada foi concluído. A floresta estava sendo conquistada.

Foi quando começou a chover.

Ao que parece, nenhum dos encarregados do planejamento do projeto havia compreendido plenamente o que significa a estação chuvosa na Amazônia. O canteiro de obras foi imediatamente inundado e tornou-se inabitável. A equipe não teve outra escolha senão ir embora, deixando para trás todos os equipamentos debaixo de metros de água. E quando voltaram após o fim das chuvas, muitos meses depois, descobriram, para seu horror, que a floresta havia basicamente devorado a estrada. Seus esforços foram obliterados pela natureza, como se os trabalhadores e a estrada nunca tivessem existido. Não conseguiam nem dizer ao certo onde ficava a área na qual tinham trabalhado. E todo o equipamento pesado havia desaparecido. Não tinha sido roubado; fora simplesmente *engolido*. Segundo me contou Felipe, "escavadeiras com pneus da altura de um homem foram sugadas para dentro da terra e desapareceram para sempre. Sumiu tudo".

Quando ele me contou essa história — especialmente a parte sobre como a selva engoliu as máquinas —, senti calafrios nos braços e na nuca, certo enjoo e uma leve tontura. Foi como se estivesse me apaixonando, ou como se tivesse acabado de receber uma notícia alarmante, ou estivesse à beira de um precipício, olhando para algo lindo e fascinante, mas ao mesmo tempo perigoso.

Já havia experimentado esses sintomas antes, então soube imediatamente o que estava acontecendo. Uma reação emocional e fisiológica assim tão intensa não me acontece com grande frequência. Porém é comum o bastante (e seus sintomas são suficientemente similares àqueles relatados por pessoas espalhadas por todo o mundo e em diferentes períodos da história) para me fazer acreditar que posso chamá-la pelo devido nome: inspiração.

É assim que nos sentimos quando surge uma ideia.

Como funcionam as ideias

A esta altura eu deveria explicar que dediquei toda a minha vida à criatividade e que, ao longo do caminho, desenvolvi um conjunto de crenças a respeito de como ela funciona — e de como trabalhar com ela — que se baseia completa e descaradamente no pensamento mágico. E, quando me refiro aqui a "mágico", é no sentido literal da palavra. No sentido de Hogwarts. Estou me referindo ao sobrenatural, ao místico, ao inexplicável, ao surreal, ao divino, ao transcendente, àquilo que é de outro mundo. Porque a verdade é que acredito que a criatividade seja uma força de encantamento — não inteiramente humana em sua origem.

Estou ciente de que esta não é uma maneira particularmente moderna ou racional de ver as coisas. Sem dúvida, não é científica. Outro dia mesmo, ouvi um respeitado neurologista dizer em uma entrevista: "O processo criativo pode parecer mágico, mas não é".

Com todo o respeito, discordo.

Acredito que o processo criativo é pura magia.

Pois eis no que escolho acreditar a respeito de como funciona a criatividade:

Acredito que nosso planeta é habitado não apenas por animais, plantas, bactérias e vírus, mas também por *ideias*. Estas são uma forma de vida energética, incorpórea. São completamente separadas de nós, mas capazes de interagir conosco — ainda que de um modo estranho. As ideias não têm um corpo material, mas têm consciência e, certamente, têm vontade própria. São movidas por um só impulso: o de se manifestar. E a única maneira pela qual uma ideia pode se manifestar em nosso mundo é por meio da colaboração com um parceiro humano. Ela só pode ser escoltada do nível do etéreo para o reino da realidade através dos esforços de um humano.

Portanto, as ideias passam a eternidade rodopiando a nossa volta, buscando parceiros humanos disponíveis e receptivos. (Estou falando aqui de *todo tipo* de ideia: artística, científica, industrial, comercial, ética, religiosa, política.) Quando uma ideia acredita que encontrou alguém — digamos, você — que talvez possa trazê-la para o mundo, ela lhe faz uma visita. Tenta chamar sua atenção. Na maior parte das vezes, você não percebe, provavelmente porque está tão consumido pelos próprios dramas, ansiedades, distrações, inseguranças e obrigações, que não está receptivo à inspiração. Talvez não note porque está assistindo à TV, fazendo compras, remoendo a raiva que sente de alguém, ponderando seus erros e fracassos ou simplesmente muito ocupado. A ideia tenta fazer sinal para você parar (talvez por alguns minutos, talvez por alguns meses, talvez até por alguns anos), mas, quando finalmente percebe que você está alheio à mensagem, passa para outra pessoa.

Contudo, às vezes — em ocasiões raras, porém magníficas —, chega um dia em que você está aberto e relaxado o suficiente para de fato receber algo. Talvez você tenha baixado um pouco a guarda e esteja menos ansioso, e então a mágica consegue se infiltrar. A ideia, sentindo sua abertura, começa a trabalhar em você. Envia os sinais de inspiração universais, tanto físicos quanto emocionais (os calafrios nos braços e na nuca, o embrulho no estômago, os pensamentos agitados, aquela sensação de estar se apaixonando ou sendo dominado por uma obsessão). A ideia organiza coincidências e portentos para você esbarrar pelo caminho, para manter seu interesse aguçado. Você começa a perceber todo tipo de sinal a levá-lo em direção a ela. Tudo o que você vê, toca e faz o lembra da ideia. Ela acorda você no meio da noite e o distrai de sua rotina diária. Não deixa você em paz até ter toda a sua atenção.

Então, em um momento tranquilo, ela pergunta: "Quer trabalhar comigo?".

A essa altura, você tem duas opções de resposta.

O que acontece quando você diz não

A resposta mais simples, claro, é não.

Assim você se livra. A ideia acaba indo embora e — parabéns! — você não precisa se dar ao trabalho de criar nada.

Só para deixar claro, essa nem sempre é uma escolha desonrosa. É verdade, às vezes você recusa um convite da inspiração por preguiça, raiva, insegurança ou petulância. Mas outras vezes talvez precise dizer não a uma ideia porque realmente não é o momento certo, ou porque você já está envolvido em outro projeto ou porque está seguro de que essa ideia específica bateu por engano na porta errada.

Muitas vezes fui abordada por ideias que sabia não serem certas para mim, às quais tive de dizer educadamente: "Estou honrada com sua visita, mas não sou a pessoa certa para o trabalho. Posso sugerir que você visite, digamos, Barbara Kingsolver?".* (Sempre tento ser muito educada ao dispensar uma ideia; a última coisa que você quer é que comece a circular pelo universo o boato de que você é uma pessoa com quem é difícil trabalhar.) Qualquer que seja sua resposta, no entanto, seja compreensivo com a pobre ideia. Lembre-se de que tudo o que ela quer é ser concretizada. Está dando o melhor de si. Não tem outra opção a não ser bater em todas as portas que puder.

Então talvez você precise dizer não.

Quando você diz não, não acontece absolutamente nada.

Na maioria das vezes, as pessoas dizem não.

Durante a maior parte da vida, a maioria das pessoas sai andando por aí, dia após dia, dizendo não, não, não, não, não.

Por outro lado, talvez um dia você possa simplesmente dizer sim.

O que acontece quando você diz sim

Se você diz sim a uma ideia, é hora de o espetáculo começar.

Agora seu trabalho se torna ao mesmo tempo simples e complicado. Você fechou oficialmente um contrato com a inspiração e precisa tentar cumpri-lo, seguir em frente até chegar ao imprevisível resultado.

Você pode estipular como quiser os termos desse contrato. Na civilização ocidental contemporânea, o contrato criativo mais comum parece

* Romancista, ensaísta e poeta americana. (N. T.)

ainda ser o do sofrimento. É o contrato que diz: *destruirei a mim mesmo e a todos que me rodeiam em um esforço para trazer à tona minha inspiração, e meu martírio será a insígnia de minha legitimidade criativa.*

Se você optar por fechar um contrato de sofrimento criativo, deve tentar se identificar ao máximo com o estereótipo do artista atormentado. Não lhe faltarão modelos a seguir. Para honrar o exemplo deles, siga estas regras fundamentais: beba o máximo que puder; sabote todos os seus relacionamentos; trave batalhas sangrentas consigo mesmo; expresse constante insatisfação com o trabalho; compita invejosamente com seus colegas; ressinta-se das vitórias dos outros; proclame-se amaldiçoado (não abençoado) por seus talentos; vincule sua noção de valor próprio a recompensas externas; seja arrogante quando tiver sucesso e autocomiserativo quando fracassar; valorize a escuridão acima da luz; morra jovem e culpe a criatividade por sua morte.

E esse método funciona?

Funciona, claro. Funciona maravilhosamente bem. Até que você acaba morrendo por causa dele.

Então, se quiser isso, siga esse método. (Por favor, se estiver comprometido com seu sofrimento, não deixe que eu nem ninguém o tire de você!) Mas não estou certa de que esse caminho seja especialmente produtivo ou que vá trazer satisfação e paz duradouras a você e àqueles que ama. Tenho de admitir que esse método de vida criativa pode ser extremamente glamoroso e é capaz de resultar em um excelente filme biográfico depois que você morrer, portanto, se preferir uma vida curta de glamour trágico a uma vida longa e rica em satisfações (e muitos preferem), *vá em frente.*

Seja como for, sempre tive a impressão de que, enquanto o artista atormentado está fazendo birra ou dando chiliques, sua musa está sentada tranquilamente em um canto, lixando as unhas, esperando pacientemente que o sujeito se acalme e tome juízo para que todo mundo possa voltar a trabalhar.

Porque, no fim das contas, a única coisa que importa é o trabalho, não é? Ou será que não deveria ser?

E se existir um jeito diferente de lidar com isso?

Posso fazer uma sugestão?

Um jeito diferente

Um jeito diferente é cooperar de maneira plena, humilde e alegre com a inspiração.

Acredito que foi assim que a maioria das pessoas abordou a criatividade durante a maior parte da história, antes de entrarmos numa de *La Bohème*. Você pode receber suas ideias com respeito e curiosidade e não com drama ou temor. Pode remover quaisquer obstáculos que o estejam impedindo de viver da maneira mais criativa possível, entendendo que tudo que é ruim para você provavelmente também é ruim para seu trabalho. Você pode dar um tempo na bebida para manter a mente mais aguçada. Pode nutrir relacionamentos mais saudáveis para não se deixar distrair por catástrofes emocionais que você mesmo inventou. Pode ousar sentir satisfação de vez em quando com o que criou. (E se um projeto não der certo, encará-lo como um experimento válido e construtivo.) Pode resistir às seduções da grandiosidade, da culpa e da vergonha. Pode apoiar outras pessoas em seus esforços criativos, reconhecendo que há espaço suficiente para todos. Pode medir seu valor com base em sua dedicação ao processo, não em seus sucessos ou fracassos. Pode lutar contra seus demônios (com terapia, oração ou humildade) e não contra seus dons — em parte ao compreender que, de qualquer forma, não são os demônios que fazem o trabalho. Pode acreditar que você não é nem escravo da inspiração nem seu senhor, mas algo muito mais interessante — um parceiro —, e que vocês dois estão trabalhando juntos para alcançar algo fascinante e que vale a pena. Você pode ter uma vida longa, fazendo e produzindo coisas muito legais o tempo todo. Talvez consiga se sustentar com suas atividades, talvez não, mas pode reconhecer que não é isso que importa de fato. E, quando chegar ao final de seus dias, poderá agradecer à criatividade por tê-lo abençoado com uma existência encantada, interessante e apaixonada.

Esse é outro jeito de lidar com a criatividade.

Você decide.

A ideia cresce

Bem, voltemos à minha história sobre a magia.

Graças ao que Felipe tinha me contado sobre a Amazônia, fui visitada por uma grande ideia: isto é, a ideia de que deveria escrever um romance sobre o Brasil na década de 1960. Especificamente, me senti inspirada a escrever um romance sobre os esforços para construir a fatídica rodovia que deveria atravessar a floresta.

Essa ideia me parecia épica e empolgante. Era também intimidadora — que diabos eu sabia a respeito da Amazônia brasileira ou de construção de estradas na década de 1960? —, mas todas as boas ideias parecem intimidadoras a princípio, então resolvi ir em frente. Concordei em fechar um contrato com minha ideia. Trabalharíamos juntas. Tínhamos um acordo, por assim dizer. Prometi à minha ideia que nunca lutaria contra ela nem a abandonaria, que me esforçaria ao máximo para cooperar com ela até que nosso trabalho estivesse concluído.

Fiz então o que se faz quando se está seriamente comprometido com um projeto ou uma atividade: abri espaço. Desentulhei minha área de trabalho e minha mente. Comprometi-me com várias horas de pesquisa toda manhã. Forcei-me a dormir cedo para poder acordar ao amanhecer e estar pronta para trabalhar. Disse não a distrações sedutoras e a convites para eventos sociais a fim de poder focar meu trabalho. Comprei livros sobre o Brasil e liguei para especialistas no assunto. Comecei a estudar português. Comprei fichas catalográficas — meu método preferido para organizar minhas anotações — e me permiti começar a sonhar com esse novo mundo. E, nesse espaço, mais ideias começaram a surgir e os contornos da história começaram a tomar forma.

Decidi que a heroína de meu romance seria uma americana de meia-idade chamada Evelyn. A história se passaria no fim da década de 1960, uma época de grandes reviravoltas políticas e culturais. Evelyn, porém, leva uma vida tranquila no centro de Minnesota. É uma solteirona que passou 25 anos trabalhando como secretária executiva em uma grande empreiteira do Meio-Oeste. Durante todo esse tempo, ela nutre uma paixão silenciosa e impossível pelo chefe: um homem casado e trabalhador que nunca a enxergou como nada além de uma secretária eficiente. O chefe tem um filho, um sujeito ambicioso e de caráter duvidoso. O filho fica sabendo desse gigantesco projeto de construção no Brasil e convence o pai a participar da licitação. Usa todo o seu charme e poder de persuasão para levar o pai a investir toda a fortuna da família no empreendimento. Com uma enorme quantidade de dinheiro e extravagantes sonhos de glória, o herdeiro da empresa logo parte em direção ao Brasil. Rapidamente, tanto o rapaz quanto o dinheiro desaparecem. Arrasado, o pai despacha Evelyn, sua mais fiel embaixadora, para a Amazônia a fim de tentar encontrar o jovem e o dinheiro desaparecidos. Movida por um senso de dever e por amor ao chefe, Evelyn segue rumo ao Brasil, onde sua vida organizada e monótona é virada de cabeça para baixo, lançando-a em um mundo de caos, mentiras e violência. O que se segue é uma série de dramas e epifanias. É também uma história de amor.

Decidi dar ao romance o título *Evelyn of the Amazon* [Evelyn da Amazônia]. Escrevi uma proposta e enviei à editora, que gostou e concordou em publicá-lo. Fechei então um segundo contrato com minha ideia — dessa vez um contrato formal, com firmas reconhecidas, prazos e tudo o mais. Estava agora totalmente comprometida. Comecei a trabalhar de verdade.

A ideia perde o rumo

Alguns meses depois, contudo, um drama na vida real me desviou do propósito de produzir um drama inventado. Em uma viagem de rotina aos Estados Unidos, Felipe, meu namorado, foi detido por um agente de imigração e impedido de entrar no país. Ele não tinha feito nada de errado, mas o Departamento de Segurança Interna o pôs na cadeia mesmo assim, depois o deportou. Fomos informados de que Felipe nunca mais poderia voltar aos Estados Unidos — a menos que nos casássemos. Se quisesse estar com meu amor durante esse período de exílio estressante e indefinido, teria que empacotar toda a minha vida imediatamente e ir encontrá-lo no exterior. Foi o que fiz. Deixei meu país e fiquei com ele durante quase um ano, lidando com nosso drama e com a papelada da imigração.

Com todo esse transtorno, estava longe de ter o ambiente ideal para me dedicar a escrever um romance complexo sobre a Amazônia brasileira na década de 1960, especialmente com a quantidade de pesquisa que seria necessária. Acabei então pondo Evelyn de lado, com promessas sinceras de que voltaria a ela mais tarde, assim que a estabilidade fosse restituída a minha vida. Guardei todas as anotações para o romance e o resto de meus pertences em um depósito e tomei um avião rumo ao outro lado do mundo para ficar com Felipe e tentar resolver nossa confusão. E, como preciso estar sempre escrevendo sobre alguma coisa para não enlouquecer, decidi escrever sobre *aquilo*: ou seja, decidi registrar o que estava acontecendo na minha vida como uma forma de organizar as complicações e revelações. (Como disse Joan Didion, "não sei o que penso a respeito de algo até escrever sobre o assunto".)

Com o passar do tempo, essa experiência se transformou em meu livro de memórias, *Comprometida*.

Quero deixar claro que não me arrependo de ter escrito *Comprometida*. Sou eternamente grata a esse livro, pois o processo de escrevê-lo me ajudou a lidar com a enorme ansiedade a respeito de meu casamento iminente. Mas o livro monopolizou minha atenção por um bom tempo, e, quando finalmente o terminei, mais de dois anos haviam se passado. Mais de dois anos durante os quais eu não havia trabalhado em *Evelyn of the Amazon*.

Isso é muito tempo para se deixar uma ideia de lado.

Estava ansiosa para voltar a ela. Então, depois que Felipe e eu estávamos devidamente casados e instalados nos Estados Unidos, e depois que *Comprometida* estava concluído, tirei todas as anotações do depósito e me sentei à escrivaninha na casa nova, pronta para recomeçar a produzir o romance sobre a Floresta Amazônica.

Logo, porém, fiz uma descoberta extremamente penosa.

Meu romance havia desaparecido.

A ideia vai embora

Deixe-me explicar.

Não quero dizer que alguém tinha roubado minhas anotações ou que um arquivo de computador crucial havia desaparecido. O que quero dizer é que a essência do romance não estava mais lá. A força senciente que habita todo esforço criativo havia desaparecido — engolida feito as escavadeiras na selva, por assim dizer. Claro, toda a pesquisa que eu tinha feito e tudo o que havia escrito dois anos antes ainda estavam lá, mas soube imediatamente que aquilo não passava da casca vazia do que antes fora uma entidade viva e vibrante.

Sou bem teimosa quando se trata de terminar meus projetos, então fiquei cutucando a coisa por vários meses, tentando fazer com que voltasse a funcionar, esperando reavivá-la. Mas foi inútil. Não tinha nada ali. Era como cutucar uma pele de cobra descartada: quanto mais eu mexia, mais rápido ela se desfazia e virava pó.

Eu achava que sabia o que havia acontecido, pois já vira esse tipo de coisa antes: a ideia tinha cansado de esperar e me abandonara. Não pude culpá-la. Afinal de contas, eu havia rompido nosso contrato. Tinha prometido me dedicar completamente a *Evelyn of the Amazon* e quebrara minha promessa. Fiquei mais de dois anos sem dar nenhuma atenção ao livro. O que mais a ideia poderia fazer? Ficar esperando para sempre enquanto eu a ignorava? Talvez. Às vezes elas esperam. Algumas ideias extremamente pacientes chegam a esperar durante anos, ou mesmo décadas, até conseguirem nossa atenção. Mas outras não, porque cada ideia tem uma natureza diferente. Você ficaria esperando em uma caixa por dois anos enquanto seu colaborador lhe dava o cano? Provavelmente, não.

Portanto, a ideia negligenciada fez o que muitas entidades vivas que se dão ao respeito fariam na mesma situação: se mandou.

Nada mais justo, certo?

Pois este é o outro lado do contrato com a criatividade: se a inspiração pode entrar em você inesperadamente, pode sair da mesma forma.

Se eu fosse mais jovem, a perda de *Evelyn of the Amazon* poderia ter me deixado bastante abalada, mas àquela altura da vida eu já estava no jogo da imaginação havia tempo suficiente para me desapegar sem grande esforço. Poderia ter chorado a perda, mas não o fiz, porque entendia e tinha aceitado os termos do contrato. Sabia que o melhor a fazer numa situação dessas seria deixar a ideia antiga partir e tentar pegar a *próxima* que aparecesse. E a melhor forma de conseguir isso é seguir em frente com rapidez, humildade e graça. Não entre em pânico por causa da ideia perdida. Não fique se culpando. Não pragueje contra os deuses. Tudo isso não passa de distração, e a última coisa de que você precisa é de mais distrações. Se tiver que passar por um período de luto, seja eficiente. É melhor dizer adeus com dignidade à ideia perdida e seguir adiante. Encontre outra coisa na qual possa trabalhar — qualquer coisa, imediatamente — e ponha mãos à obra. Mantenha-se ocupado.

Acima de tudo, esteja pronto. Fique de olhos e ouvidos abertos. Siga sua curiosidade. Pergunte. Bisbilhote. Mantenha-se aberto. Acredite nesta verdade milagrosa: todo dia há novas e maravilhosas ideias à procura de colaboradores humanos. Ideias de todos os tipos estão sempre galopando em nossa direção, sempre passando por nós, sempre tentando chamar nossa atenção.

Mostre a elas que você está disponível.

E, pelo amor de Deus, tente não perder a próxima.

Feitiçaria

Esse deveria ter sido o fim da minha história sobre a selva amazônica. Mas não foi.

Mais ou menos na mesma época em que a ideia para o romance fugiu, em 2008, fiz uma nova amiga, a famosa romancista Ann Patchett. Nós nos conhecemos certa tarde em Nova York, em uma mesa-redonda sobre bibliotecas.

É, isto mesmo: uma mesa-redonda sobre bibliotecas.

Vida de escritor é glamour que não acaba mais.

Ann me deixou imediatamente intrigada, não apenas por eu sempre ter admirado seu trabalho, mas porque sua presença é extraordinária. Tem uma capacidade sobrenatural de se encolher — de se fazer quase invisível — para melhor observar o mundo à sua volta na segurança do anonimato, a fim de poder escrever sobre ele sem ser notada. Em outras palavras, seu superpoder é esconder os superpoderes.

Não é de surpreender, portanto, que eu não tenha imediatamente reconhecido Ann como a célebre autora na primeira vez que nos encontramos. Ela parecia tão despretensiosa, minúscula e jovem que achei que fosse a assistente de alguém — talvez até a assistente da assistente de alguém. Quando finalmente me dei conta de quem era, pensei: *Meu Deus! Ela é tão simples!*

Mas estava enganada.

Uma hora depois, Patchett subiu à tribuna e deu uma das palestras mais poderosas e fascinantes que já ouvi. Abalou a sala e me abalou também. Foi então que percebi que aquela mulher era, na verdade, bem alta. E forte. E linda. E passional. E brilhante. Era como se ela tivesse tirado sua capa de invisibilidade e uma deusa tivesse surgido.

Fiquei maravilhada. Nunca tinha visto ninguém se transformar daquele jeito de um momento para o outro. E, como não tenho noção de limites, corri até ela após o evento e a agarrei pelo braço, ansiosa para pegar aquela criatura incrível antes que se tornasse invisível novamente.

"Ann", eu disse, "sei que acabamos de nos conhecer, mas preciso dizer: você é extraordinária e eu te amo!"

Bem, ao contrário de mim, Ann Patchett *tem* noção de limites. Olhou para mim meio desconfiada, como seria de imaginar. Parecia estar decidindo algo a respeito de mim. Por um instante, fiquei sem saber o que esperar. Mas o que ela fez em seguida foi maravilhoso: tomou meu rosto nas mãos, me deu um beijo e declarou: "E eu também te amo, Liz Gilbert".

Naquele instante, nasceu uma amizade.

Os termos dessa amizade, contudo, viriam a ser um tanto incomuns. Ann e eu não moramos na mesma região (estou em Nova Jersey; ela, no Tennessee), então não era como se pudéssemos nos encontrar uma vez por semana para almoçar. Além disso, nenhuma de nós é muito fã de falar pelo telefone. E as redes sociais não eram o melhor lugar para cultivar aquele relacionamento. Decidimos então nos conhecer melhor por meio da arte quase esquecida da epistolografia.

Em uma tradição que continua até hoje, Ann e eu começamos a escrever longas cartas uma à outra todo mês. Cartas de verdade, em papel de verdade, com envelopes, selos e tudo o mais. É uma maneira bastante antiquada de se manter uma amizade, mas somos ambas pessoas bastante antiquadas. Escrevemos sobre nossos casamentos, nossas famílias, amizades e frustrações. Mas, acima de tudo, escrevemos sobre *escrever*.

E foi assim que — no outono de 2008 — Ann mencionou ao acaso em uma de suas cartas que havia começado a trabalhar em um romance sobre a Floresta Amazônica.

Por razões óbvias, aquilo chamou minha atenção.

Escrevi de volta e perguntei sobre o que, mais especificamente, tratava o romance. Expliquei que também tinha começado a trabalhar em um romance sobre a Floresta Amazônica, mas que o meu me havia escapado porque o negligenciei (algo que eu sabia que ela entenderia). Em sua carta seguinte, Ann respondeu que ainda era cedo demais para saber exatamente sobre o que seria o romance. Era um projeto bem recente. A história estava apenas começando a tomar forma. Ela me manteria informada conforme fosse evoluindo.

Em fevereiro do ano seguinte, Ann e eu nos encontramos pessoalmente pela segunda vez na vida. Nós nos apresentaríamos em um evento em Portland, Oregon. Na manhã da apresentação, tomamos café da manhã juntas no hotel. Ela me contou que estava empenhada na produção do novo livro — já havia escrito mais de cem páginas.

"Certo", eu disse, "agora você *tem* que me contar do que trata seu romance amazônico. Estou louca para saber."

"Você primeiro", respondeu Ann, "já que seu livro veio antes. Conte sobre o que era o *seu* romance amazônico — o que escapou."

Tentei resumir meu ex-romance da maneira mais concisa possível.

"Era a história", expliquei, "de uma solteirona de meia-idade de Minnesota que há muitos anos nutre uma paixão secreta pelo chefe casado. Ele se envolve em um negócio arriscado na selva amazônica. Quando uma enorme quantidade de dinheiro e uma pessoa desaparecem, minha protagonista é enviada até lá para resolver a situação e sua vida tranquila vira um completo caos. Mas é também uma história de amor."

Ann ficou me encarando do outro lado da mesa por um bom tempo.

Antes de continuar, preciso explicar que — sem dúvida, ao contrário de mim — Ann Patchett é uma verdadeira lady, com modos refinados. Nada nela é vulgar ou grosseiro, o que contribuiu para me deixar ainda mais chocada quando ela finalmente falou:

"Você só pode estar de sacanagem com a minha cara."

"Por quê?", perguntei. "Sobre o que é seu romance?"

"Meu romance", respondeu, "é sobre uma solteirona de Minnesota que há muitos anos nutre uma paixão secreta pelo chefe casado. Ele se envolve em um negócio arriscado na selva amazônica. Quando uma enorme quantidade de dinheiro e uma pessoa desaparecem, minha protagonista é enviada até lá para resolver a situação e sua vida tranquila vira um completo caos. Mas é também uma história de amor."

Que p. é essa?

Gente, isso não é uma *categoria*!

Esse não é o enredo de um livro de suspense escandinavo ou de um romance sobre vampiros. É um enredo extremamente específico. Você não pode ir a uma livraria e pedir ao vendedor que lhe mostre a seção de livros sobre solteironas de meia-idade de Minnesota apaixonadas por seus chefes casados que são enviadas à Floresta Amazônica para encontrar pessoas desaparecidas e salvar projetos fadados ao fracasso.

Isso *não existe*!

É verdade que quando passamos aos detalhes mais específicos vimos que havia algumas diferenças. Meu romance se passava na década de 1960; o de Ann, nos dias de hoje. Meu livro era sobre a construção de uma estrada, enquanto o dela era sobre a indústria farmacêutica. Mas, tirando isso, eram basicamente o mesmo livro.

Como seria de esperar, Ann e eu levamos algum tempo para recuperar a compostura após essa revelação. Então, como grávidas ansiosas para lembrar o momento exato da concepção, contamos os meses nos dedos, tentando determinar quando eu tinha perdido a ideia e quando ela a havia encontrado.

Descobrimos que os dois eventos ocorreram mais ou menos ao mesmo tempo.

Na verdade, achamos que a ideia pode ter sido oficialmente transmitida no dia em que nos conhecemos.

Aliás, achamos que foi passada com o beijo.

E *isso*, meus amigos, é a Grande Magia.

Um pouco de perspectiva

Bem, antes de nos empolgarmos demais, quero fazer uma pausa e pedir que você considere todas as conclusões negativas que eu poderia ter tirado a respeito desse incidente caso estivesse a fim de arruinar minha vida.

A pior conclusão a que eu poderia ter chegado — e também a mais destrutiva — seria a de que Ann Patchett havia roubado minha ideia. Isso teria sido absurdo, claro, pois Ann nunca sequer ouvira falar de minha ideia, e, além disso, é o ser humano mais ético que já conheci. No entanto, as pessoas tiram conclusões abomináveis como essa o tempo todo. Convencem-se de que foram roubadas quando, na verdade, isso não aconteceu. Esse pensamento vem de uma deplorável lealdade à noção de escassez — da crença de que o mundo é um lugar de carência e de que nunca haverá o suficiente de tudo para todos. O lema dessa mentalidade é: *Alguém roubou o que era para ser meu.* Se eu tivesse decidido assumir essa postura, certamente teria perdido minha querida nova amiga. Também teria me afundado em um estado de ressentimento, inveja e culpa.

Outra possibilidade teria sido voltar a raiva contra mim mesma. Poderia ter pensado: *Está vendo? Essa é a maior prova de que você é uma inútil,*

Liz, porque nunca cumpre suas promessas. Esse romance queria ser seu, mas você estragou tudo, porque é preguiçosa, estúpida e não serve para nada, e sempre volta a atenção para a coisa errada. É por isso que você nunca será uma grande escritora.

Finalmente, poderia ter voltado meu ódio contra o destino. Poderia ter dito: *Eis aqui a prova de que Deus gosta mais de Ann Patchett do que de mim. Pois Ann é a romancista eleita e eu — como sempre suspeitei nos momentos mais sombrios — não passo de uma impostora. O destino zomba de mim enquanto a cobre de glórias. Sou o bobo da fortuna, e ela, sua queridinha. E essa é a eterna injustiça e tragédia da minha existência amaldiçoada.*

Mas não fiz nada dessa bobagem.

Em vez disso, optei por ver aquilo como um pequeno milagre. Senti-me grata e surpresa por ter desempenhado um papel — por menor que fosse — nesse estranho desenrolar de eventos. Era o mais próximo que já me sentira da feitiçaria, e não estava disposta a desperdiçar aquela experiência incrível me prendendo a mesquinharias. Enxerguei o ocorrido como uma prova rara e esplêndida de que minhas crenças mais esdrúxulas sobre criatividade poderiam de fato ser verdade: de que as ideias *são* entes vivos, de que *estão sempre* em busca do colaborador humano mais disponível, de que *têm* vontade consciente, de que *se movem* de uma alma para outra e de que *sempre* tentarão encontrar o canal mais rápido e eficiente para chegar à terra (assim como fazem os raios).

Além disso, estava agora inclinada a acreditar que as ideias são também espirituosas, pois o que ocorreu entre mim e Ann não foi apenas fenomenal, mas também curiosa e encantadoramente engraçado.

Propriedade

Acredito que a inspiração sempre se esforçará ao máximo para trabalhar com você, mas, se você não estiver pronto ou disponível, ela poderá de fato optar por deixá-lo e procurar outro colaborador humano.

Na verdade, isso acontece com frequência.

É assim que certa manhã você abre o jornal e descobre que outra pessoa escreveu seu livro, dirigiu sua peça, lançou seu álbum, produziu seu filme, financiou seu negócio, abriu seu restaurante ou patenteou sua invenção — ou manifestou de alguma forma uma centelha de inspiração que você teve anos antes, mas nunca cultivou devidamente ou nunca conseguiu levar a cabo. Isso pode irritá-lo, mas não deveria, pois você não fez a sua parte! Não estava pronto ou aberto o suficiente ou não agiu rápido o bastante para que a ideia se consolidasse em você e se concretizasse. Portanto, ela partiu em busca de um novo parceiro, e essa pessoa acabou por concretizá-la.

Depois que publiquei *Comer, rezar, amar*, não sei quantas pessoas (literalmente mais do que posso contar) me acusaram com raiva de ter escrito o livro *delas*.

"Era para esse livro ter sido *meu*", rosnam, me fuzilando com os olhos na fila de autógrafos de algum evento literário em Houston, Toronto, Dublin ou Melbourne. "Eu estava planejando escrever esse livro um dia. Você escreveu a minha vida."

Mas o que posso dizer? Que diabos eu sei sobre a vida daquele estranho? Do meu ponto de vista, encontrei uma ideia desacompanhada, perdida por aí, e fugi com ela. Embora seja verdade que tive sorte com *Comer, rezar, amar* (sem dúvida, tive muita sorte), também é verdade que trabalhei como uma louca naquele livro. Lancei-me àquela ideia como um salmão se lança contra a corrente. Depois que ela penetrou minha consciência, não deixei de segui-la por um momento sequer — até o livro estar pronto.

Então pude ficar com ela para mim.

Mas também já perdi várias ideias no decorrer dos anos. Ou, melhor, perdi ideias que acreditei, erroneamente, estarem destinadas a ser minhas. Outras pessoas acabaram escrevendo livros que eu queria muito ter escrito. Outros realizaram projetos que poderiam ter sido meus.

Em 2006, por exemplo, flertei por um tempo com a ideia de escrever um livro de não ficção sobre a cidade de Newark, em Nova Jersey, ao qual daria o título *Brick City* [Cidade de tijolos]. Meu plano, em teoria, consistia em seguir o carismático novo prefeito de Newark, Cory Booker, e escrever a respeito de seus esforços para transformar aquela cidade fascinante, porém conturbada. Era uma ideia legal, mas que acabei não concretizando. (Para ser honesta, parecia ser muito trabalhosa e eu já estava planejando outro livro, então nunca me empenhei o suficiente para colocá-la em prática.) Em 2009, o *Sundance Channel* produziu e levou ao ar um documentário sobre a conturbada história de Newark, Nova Jersey, e os esforços de Cory Booker para transformar a cidade. O nome do programa era *Brick City*. Minha reação ao ficar sabendo disso foi de puro alívio: *Oba! Não preciso lidar com Newark! Alguém já se encarregou da tarefa!*

Outro caso ocorreu em 1996, quando conheci um amigo próximo de Ozzy Osbourne. Ele me disse que Ozzy e sua família eram as pessoas mais estranhas, engraçadas, loucas e — surpreendentemente — amáveis que já conhecera. "Você precisa escrever sobre eles!", me disse. "Deveria passar um tempo com eles e observar a maneira como interagem. Não sei exatamente o que você poderia fazer, mas *alguém* precisa realizar um projeto sobre os Osbourne, porque são incrivelmente fantásticos."

Fiquei intrigada. Contudo, mais uma vez acabei não concretizando a ideia, e os Osbourne ficaram ao encargo de outra pessoa — com resultados notáveis, diga-se de passagem.

Há muitas ideias que acabei não concretizando e várias delas viraram projetos de outras pessoas. Outras pessoas contaram histórias com as quais eu estava intimamente familiarizada — histórias que um dia chamaram minha atenção, que pareciam vir de minha própria vida ou que poderiam ter sido geradas por minha imaginação. Nem sempre fiquei indiferente à perda dessas ideias para outros criadores. Algumas vezes foi difícil. Em alguns casos, tive que ficar observando enquanto outras pessoas desfrutavam dos sucessos e das vitórias que eu havia desejado para mim.

A vida é assim.

Mas é também cheia de belos mistérios.

Descobertas múltiplas

Após refletir longamente sobre tudo isso, percebi que o que tinha acontecido entre mim e Ann Patchett poderia ter sido a versão artística da descoberta múltipla, um termo usado pela comunidade científica sempre que dois ou mais cientistas em diferentes partes do mundo têm a mesma ideia ao mesmo tempo. (O cálculo, o oxigênio, buracos negros, a fita de Möbius, a existência da estratosfera e a teoria da evolução foram todas descobertas múltiplas — só para citar algumas.)

Não há nenhuma explicação lógica para isso. Como é possível que duas pessoas que nunca ouviram falar do trabalho uma da outra cheguem às mesmas conclusões científicas no mesmo momento histórico? No entanto, é algo que ocorre com mais frequência do que seria de imaginar. Quando o matemático húngaro János Bolyai inventou a geometria não euclidiana no século XIX, seu pai o incentivou a publicar as descobertas imediatamente, antes que outra pessoa tivesse a mesma ideia. "Quando chega a época de certas coisas, elas aparecem em diferentes lugares, como as violetas que desabrocham no início da primavera."

Descobertas múltiplas também ocorrem fora da esfera científica. No mundo dos negócios, por exemplo, há um entendimento generalizado de que existe sempre uma nova grande ideia "por aí", flutuando na atmosfera, e que a primeira pessoa ou empresa a agarrá-la terá a vantagem competitiva. Às vezes, todo mundo está tentando agarrá-la ao mesmo tempo, em uma louca disputa para ver quem será o primeiro (como ocorreu durante a ascensão do computador pessoal na década de 1990).

Descobertas múltiplas acontecem até em relacionamentos românticos. Durante anos e anos, ninguém demonstra nenhum interesse em você, e, de repente, você tem dois pretendentes ao mesmo tempo? Isso, sem dúvida, é um caso de descobertas múltiplas!

Para mim, descobertas múltiplas são a maneira encontrada pela inspiração de minimizar os riscos, de tentar encontrar a sintonia perfeita trabalhando em duas frentes. Ela tem direito a fazer isso, se quiser. Na verdade, tem direito a fazer o que bem entender e nunca é obrigada a justificar seus motivos a nenhum de nós. (Na minha opinião, temos sorte de a inspiração ao menos falar conosco; seria pedir demais que, além disso, ainda nos desse explicações.)

No fim, são apenas violetas tentando desabrochar.

Não se preocupe com a irracionalidade e a imprevisibilidade de toda essa esquisitice. Entregue-se. É esse o contrato bizarro e sobrenatural da vida criativa. Não existe roubo; não existe propriedade; não existe tragédia; não existe problema. Lá de onde vem a inspiração não existe tempo nem espaço, assim como não existem competição, ego ou limitações. Tudo o que existe é a teimosia da própria ideia, que se recusa a interromper sua busca até que tenha encontrado um colaborador igualmente obstinado. (Ou múltiplos colaboradores, conforme o caso.)

Trabalhe com essa teimosia.

Trabalhe com ela com o máximo de abertura, confiança e diligência que puder.

Dê tudo de si, pois — prometo —, se comparecer ao trabalho dia após dia, talvez dê a sorte de, em uma manhã qualquer, desabrochar de repente.

A cauda do tigre

Uma das melhores explicações que já ouvi a respeito desse fenômeno — isto é, sobre a maneira como as ideias penetram e abandonam a seu bel-prazer a consciência humana — veio da maravilhosa poetisa americana Ruth Stone.

Nós nos conhecemos quando Ruth já tinha quase noventa anos, e ela me regalou com histórias sobre seu extraordinário processo criativo. Contou-me que, durante a infância em uma fazenda na Virgínia, às vezes estava trabalhando no campo quando de repente *ouvia* um poema vindo em sua direção — ouvia-o atravessar a paisagem, veloz como um cavalo a galope. Sempre que isso acontecia, sabia exatamente o que precisava fazer: "corria como o diabo" para casa, tentando se manter à frente do poema, esperando conseguir chegar a um papel e um lápis rápido o suficiente para poder agarrá-lo. Assim, quando o poema passasse por ela, poderia pegá-lo e anotá-lo, deixando que as palavras vertessem sobre a página. Às vezes, contudo, não era rápida o bastante e não conseguia chegar ao papel e ao lápis a tempo. Quando isso ocorria, sentia o poema atravessar seu corpo. Ele permanecia dentro dela por um instante, em busca de uma reação, então ia embora antes que ela pudesse agarrá-lo — "galopando pela terra", nas palavras de Ruth, "à procura de outro poeta".

No entanto, às vezes (e essa é a parte mais louca) ela *quase* perdia o poema. Conseguia segurá-lo, explicou, "pela cauda". Como se agarrasse um tigre. Então praticamente *puxava* o poema de volta com uma das mãos enquanto o anotava com a outra. Nesses casos, o poema aparecia na página da última palavra para a primeira, de trás para a frente, porém intacto.

Isso, meus amigos, é mais um exemplo da Grande Magia, no melhor estilo macumba de raiz, de deixar o cabelo em pé.

Mas eu acredito.

Trabalho duro × pó de pirlimpimpim

Acredito nisso porque creio que somos todos capazes de esbarrar de vez em quando em nossas vidas com uma sensação de mistério e inspiração. Talvez não possamos ser todos puros canais divinos como Ruth Stone, vertendo criações imaculadas todos os dias sem nenhum obstáculo ou dúvida... mas podemos chegar mais perto dessa fonte do que imaginamos.

A maior parte de minha vida como escritora, para falar a verdade, não tem essa Grande Magia no estilo macumba de raiz. A maior parte dessa minha vida consiste meramente em trabalhar duro, com muita disciplina e sem nenhum glamour. Sento diante da escrivaninha e trabalho feito uma condenada. E é assim que funciona. A maior parte não tem nada de encantamento de pozinho mágico.

Mas às vezes esse encantamento acontece. Às vezes, enquanto escrevo, sinto como se estivesse em uma daquelas esteiras rolantes de aeroportos; preciso percorrer um longo caminho até o portão de embarque e minha bagagem ainda está pesada, mas é como se estivesse sendo delicadamente impulsionada por uma força exterior. Há algo me carregando — algo poderoso e generoso —, e esse algo definitivamente não sou *eu*.

Talvez você conheça essa sensação. É a sensação que temos quando fazemos ou produzimos algo maravilhoso e mais tarde, ao refletirmos sobre aquela obra, pensamos: "Nem sei de onde veio isso".

Você não consegue repetir aquilo; não consegue explicar. Mas a impressão que tem é a de que estava sendo guiado.

Isso só me ocorre raramente, mas, quando ocorre, é a sensação mais magnífica que se pode imaginar. Acho que não existe na vida felicidade mais perfeita do que esse estado, exceto, talvez, a sensação de se apaixonar. Na Grécia antiga, o termo usado para definir o mais alto grau de felicidade humana era *eudaimonia*, que basicamente significa "ser habitado por um bom daimon", ou seja, ter uma espécie de guia espiritual criativo divino tomando conta de você. (Observadores modernos, talvez por não se sentirem confortáveis com essa noção de mistério divino, chamam-no simplesmente de "estado de fluxo".)

No entanto, tanto os gregos quanto os romanos acreditavam na ideia de um daimon criativo — uma espécie de elfo doméstico, por assim dizer, que vivia na casa das pessoas e às vezes as ajudava em seus trabalhos. Os romanos tinham um termo específico para esse prestativo elfo doméstico. Para eles, esse era o *gênio* de cada um: nossa deidade guardiã, o canal de nossa inspiração. Ou seja, os romanos não acreditavam que uma pessoa com dons excepcionais *era* um gênio, e sim que *tinha* um gênio.

É uma distinção sutil, porém importante (ser × ter), e, na minha opinião, um construto psicológico. A ideia de um gênio exterior ajuda a manter o ego do artista sob controle, distanciando-o de certa forma do fardo de receber todos os créditos ou toda a culpa pelo resultado de seu trabalho. Em outras palavras, se o trabalho for bem-sucedido, você é obrigado a agradecer a seu gênio exterior pela ajuda e não se deixar levar pelo narcisismo completo. Por outro lado, se o trabalho fracassar, a culpa não é totalmente sua. Você pode dizer: "Ei, não olhe para mim. Meu gênio não apareceu hoje!".

De uma forma ou de outra, o vulnerável ego humano fica protegido.

Protegido da influência corruptiva dos elogios.

Protegido dos efeitos corrosivos da humilhação.

Preso sob a pedra

Acho que a sociedade fez um grande desserviço aos artistas quando começou a dizer que certas pessoas *eram* gênios em vez de dizer que *tinham* gênios. Isso ocorreu na época da Renascença, com a ascensão de uma visão de mundo mais racional e humanista. Os deuses e os mistérios foram perdendo espaço e, de repente, passamos a atribuir todo o crédito e toda a culpa da criatividade aos próprios artistas, responsabilizando completamente os frágeis humanos pelos caprichos da inspiração.

Logo, passamos também a venerar a arte e os artistas muito além do que deveríamos. A distinção de "gênio" (assim como as recompensas e o status com frequência associados a ela) elevou os criadores a uma espécie de casta sacerdotal — talvez até de deidades menores —, o que, da maneira como vejo, é muita pressão para meros mortais, por mais talentosos que sejam. É então que os artistas começam realmente a pirar, enlouquecidos e esmagados pelo peso e pela estranheza de seus dons.

Acho que, quando o artista carrega o fardo do rótulo de "gênio", acaba perdendo a capacidade de não se levar muito a sério e de criar livremente. Veja o caso de Harper Lee, por exemplo, que não escreveu nada durante décadas após o sucesso fenomenal de *O sol é para todos*. Em 1962, quando questionada sobre a possibilidade de escrever outro livro, Lee respondeu: "Tenho medo. Quando se está no topo, só há uma direção possível".

Como Lee nunca se pronunciou de maneira mais detalhada sobre sua situação, nunca saberemos por que essa autora tão bem-sucedida não escreveu mais dezenas de livros no decorrer da vida. Pergunto-me, contudo, se talvez não tenha ficado presa sob a pedra de sua própria reputação. Talvez o fardo da responsabilidade tenha se tornado grande demais e seu talento artístico tenha morrido de medo — ou, pior, talvez tenha sido vítima da autoconcorrência. (Mas, afinal de contas, de que Harper Lee poderia ter medo? Talvez simplesmente de não conseguir se superar.)

Quanto a ter chegado ao topo e a só ter uma direção possível dali em diante, Lee tinha razão, certo? Quer dizer, se você não pode repetir um milagre único — se pode nunca mais chegar ao topo —, então para que ao menos se dar ao trabalho de criar? Bem, essa é uma situação da qual posso falar por experiência própria, pois eu mesma já estive "no topo", com um livro que ficou na lista dos mais vendidos por mais de três anos. Perdi as contas de quantas pessoas me perguntaram durante esses anos: "Como é que você vai superar isso?". Falavam de minha enorme sorte como se fosse uma maldição, não uma bênção, e especulavam sobre o pavor que eu deveria sentir com a possibilidade de não conseguir alcançar novamente aquele sucesso fenomenal.

Acontece que essa maneira de pensar pressupõe a existência de um "topo" e sugere que alcançar esse topo (e lá ficar) é o único motivo para criar. Esse raciocínio pressupõe que os mistérios da inspiração operam na mesma escala de valores que nós, uma escala humana limitada de sucesso e fracasso, vitórias e derrotas, comparação e competição, comércio e reputação, unidades vendidas e influência exercida. Essa lógica pressupõe que é preciso sair sempre vitorioso, não apenas contra nossos pares, mas também contra uma versão anterior de nós mesmos. E o que é mais perigoso: esse modo de pensar pressupõe que, se não podemos ganhar, devemos parar de jogar.

Mas o que tudo isso tem a ver com vocação? Com fazer aquilo que amamos? Com a estranha comunicação entre o humano e o mágico? Com a fé? Com a glória discreta de apenas *produzir coisas* e compartilhá-las de coração aberto e sem expectativas?

Gostaria que Harper Lee tivesse continuado a escrever. Gostaria que, logo após ter publicado *O sol é para todos* e ganhado o Pulitzer, ela tivesse produzido em série cinco livros baratos e de leitura fácil: uma aventura romântica, um drama policial, uma história para crianças, um livro de receitas, alguma espécie de narrativa de ação, *qualquer coisa*. Talvez você pense que eu esteja brincando, mas não estou. Imagine o que ela poderia ter criado, mesmo acidentalmente, com uma abordagem dessas. No mínimo, poderia ter convencido todo mundo a esquecer que um dia fora Harper Lee. Poderia ter *se* convencido a esquecer que um dia fora Harper Lee, o que teria sido libertador do ponto de vista artístico.

Felizmente, após tantas décadas de silêncio, por fim teremos acesso a um pouco mais da voz de Lee. Há pouco tempo, foi descoberto o manuscrito de um romance que ela havia escrito antes de *O sol é para todos* (em outras palavras, um livro produzido antes de o mundo inteiro estar observando e esperando, cheio de expectativa, para ver o que ela faria em seguida). Contudo, eu gostaria que alguém tivesse conseguido convencê-la a continuar escrevendo e publicando pelo resto da vida. Teria sido um presente para o mundo. E teria sido um presente para ela também, poder ter continuado trabalhando como escritora, desfrutando dos prazeres e das satisfações desse trabalho (pois, no fim das contas, a criatividade é um presente para o criador, não só para o público).

Gostaria que alguém tivesse dado a Ralph Ellison o mesmo tipo de conselho: escreva qualquer coisa e lance sem ficar pensando muito a respeito. E também a F. Scott Fitzgerald. E a qualquer outro criador, famoso ou não, que acabou desaparecendo sob a sombra da própria reputação, seja real ou imaginária. Gostaria que alguém lhes tivesse dito que enchessem um monte de páginas com blá-blá-blá e as publicassem. E que se dane o resultado!

Parece sacrilégio até mesmo sugerir isso?

Ótimo!

Só porque a criatividade é mística, não quer dizer que não deva ser desmistificada — especialmente se isso significa libertar os artistas das limitações de seus delírios de grandeza, de seu pânico e de seu ego.

Deixe-a ir e vir

O mais importante a se entender a respeito da *eudaimonia* — esse encontro arrebatador entre um ser humano e a inspiração criativa divina — é que não se pode esperar que ela esteja disponível o tempo todo.

Ela vem e vai, e você precisa deixá-la ir e vir.

Sei disso pessoalmente, pois meu gênio — de onde quer que venha — não tem hora para aparecer, não segue horários humanos e certamente não organiza sua programação de acordo com minha disponibilidade. Às vezes suspeito que esteja fazendo bico por fora como gênio de outra pessoa, talvez até trabalhando para vários artistas diferentes, como uma espécie de prestador de serviços criativos autônomo. Há momentos em que tateio no escuro, buscando desesperadamente algum estímulo criativo mágico, mas nada me vem.

Então, de repente — *vapt!* —, a inspiração chega do nada.

E, com a mesma rapidez que chegou — *vupt!* —, volta a desaparecer.

Certa vez, tirei um cochilo no trem no caminho do trabalho e, enquanto dormia, sonhei com um conto inteiro, absolutamente intacto. Acordei do sonho, peguei uma caneta e escrevi toda a história em um surto febril de inspiração. Foi o mais próximo que cheguei de ter um puro "momento Ruth Stone". Algum canal se abriu dentro de mim e as palavras verteram sobre as páginas sem nenhum esforço.

Ao revisar aquele conto, mal precisei mexer em uma palavra. Parecia perfeito do jeito que estava. Parecia perfeito e, ao mesmo tempo, *estranho*; não era sequer o tipo de coisa sobre a qual eu escreveria normalmente. Vários críticos observaram mais tarde como aquele conto era diferente do resto da coleção. (Um deles chegou a descrever o estilo como "realismo mágico ianque".) Era uma história de encantamento, escrita sob o efeito de um encantamento, e até um estranho podia sentir ali a presença do pó de pirlimpimpim. Eu nunca tinha escrito e jamais voltei a escrever nada como aquilo. Ainda penso nesse conto como a joia escondida mais extraordinária que já desenterrei de mim.

Aquilo foi, sem dúvida, a Grande Magia em ação.

Mas foi também há 22 anos e nunca mais aconteceu. (E pode acreditar, nesse meio-tempo já tirei muitos cochilos em muitos trens.) Desde então, tive momentos de maravilhosa comunhão criativa, mas nada tão puro e emocionante quanto aquele encontro fantástico.

Ela veio e se foi.

O que estou tentando dizer é: se meu plano for ficar sentada, esperando por outra inspiração criativa ardorosa e imaculada como aquela, pode ser que precise esperar por muito, muito tempo. Então não fico parada, esperando para escrever quando meu gênio decidir me fazer uma visita. Na verdade, acredito que é meu gênio quem passa um bom tempo esperando por mim, para ver se levo mesmo esse trabalho a sério. Às vezes sinto que ele está sentado no canto, me observando trabalhar, dia após dia, semana após semana, mês após mês, só para se certificar de que não estou de brincadeira, de que estou realmente empenhada de corpo e alma naquele esforço criativo. Quando meu gênio está convencido de que não estou embromando, às vezes aparece para oferecer ajuda. Em alguns casos, essa ajuda só chega quando já estou trabalhando há dois anos em um projeto; certas vezes, não chega a durar mais de dez minutos.

Quando a ajuda chega — aquela sensação da esteira rolante sob meus pés, da esteira rolante sob minhas *palavras* —, fico feliz da vida e pego carona. Nesses casos, escrevo como se não fosse exatamente eu. Perco a noção do tempo, do espaço e de mim. Enquanto acontece, agradeço ao mistério pela ajuda. E, quando vai embora, deixo-o ir e continuo trabalhando com afinco assim mesmo, esperando que algum dia meu gênio reapareça.

Trabalho de um jeito ou de outro, entende? Com ou sem ajuda. Pois é isso que precisamos fazer para viver uma vida criativa plena. Trabalho de maneira constante e sempre agradeço ao processo. Quer seja tocada pela graça, quer não, agradeço à criatividade por me permitir ao menos interagir com ela.

Porque, de um jeito ou de outro, é tudo incrível: o que temos a oportunidade de fazer, a oportunidade de tentar; aquilo com que, *às vezes*, temos a oportunidade de comungar.

Gratidão, sempre.

Sempre gratidão.

Um coração deslumbrado

E quanto à maneira como Ann Patchett enxergou o que aconteceu entre nós? Como percebeu o curioso milagre do romance sobre a Floresta Amazônica que havia quicado em minha cabeça e ido parar na dela?

Bem, Ann é uma alma muito mais racional do que eu, mas até ela sentiu que algo bastante sobrenatural tinha ocorrido. Mesmo ela sentiu que aquela inspiração havia escapado de mim e — com um beijo — pousado nela. Nas cartas seguintes que me escreveu, teve a generosidade de sempre se referir a seu romance sobre a Floresta Amazônica como "nosso romance sobre a Floresta Amazônica", como se fosse a "mãe de aluguel" de uma ideia concebida por mim.

Isso foi muito amável da parte dela, mas não é verdade. Como qualquer pessoa que tenha lido *Estado de graça* sabe muito bem, aquela história magnífica pertence inteiramente a Ann Patchett. Ninguém mais poderia ter escrito aquele romance como ela o fez. Seria mais correto dizer que *eu* fui a mãe substituta que manteve a ideia protegida durante alguns anos enquanto ela procurava seu verdadeiro colaborador de direito. Quem sabe quantos outros autores aquela ideia já havia visitado no decorrer dos anos antes de ir parar sob meus cuidados por um tempo, até finalmente encontrar Ann? (Boris Pasternak descreveu o fenômeno nestas belas palavras: "Nenhum livro de verdade tem uma primeira página. Como o farfalhar da floresta, é concebido só Deus sabe onde, cresce e rola, despertando a floresta densa e selvagem, até que de repente... começa a falar ao mesmo tempo com todas as copas das árvores".)

Tudo o que sei ao certo é que esse romance queria muito ser escrito e só parou de rolar e procurar quando finalmente encontrou a autora que estava pronta e disposta a assumi-lo — não mais tarde, não algum dia, não em alguns anos, não quando as coisas melhorassem ou quando a vida ficasse mais fácil, mas *naquele momento*.

Então aquela se tornou a história de Ann.

Tudo o que me restou dela foi um coração deslumbrado e a sensação de viver em um mundo extraordinário, cheio de mistérios. Como disse o físico britânico Sir Arthur Eddington sobre o funcionamento do universo: "Há algo desconhecido fazendo algo que não sabemos o que é".

Mas a melhor parte é que *não preciso saber o que é*.

Não exijo uma tradução do desconhecido. Não preciso entender o que tudo isso significa, onde as ideias são concebidas originalmente ou por que a criatividade funciona de maneira tão imprevisível. Não preciso saber por que às vezes conseguimos conversar livremente com a inspiração e outras vezes damos um duro danado sozinhos e não produzimos nada. Não preciso saber por que hoje uma ideia decidiu visitar você e não a mim. Ou por que visitou nós dois. Ou por que nos abandonou.

Nenhum de nós tem como saber nada disso, pois esse é um dos grandes enigmas do universo.

Tudo o que sei ao certo é que *é assim que quero passar minha vida*: colaborando da melhor maneira que puder com forças de inspiração que não tenho como ver, comprovar, controlar ou entender.

Devo admitir que é um ramo de trabalho estranho.

Mas não consigo pensar em uma maneira melhor de passar os dias.

Permissão

Remova a caixa de sugestões

Não cresci em uma família de artistas.

Meus parentes sempre trabalharam em atividades mais convencionais, por assim dizer.

Meu avô materno era produtor de laticínios; meu avô paterno, vendedor de fornos. Minhas duas avós eram donas de casa, assim como suas mães, irmãs e tias.

Quanto a meus pais, minha mãe é enfermeira, e meu pai, engenheiro. E embora tenham feito parte da geração hippie, nunca se juntaram ao movimento — nem de longe. Eram conservadores demais para esse tipo de coisa. Meu pai passou a década de 1960 na universidade e na Marinha; minha mãe, na faculdade de enfermagem, trabalhando em um hospital no turno da noite e economizando dinheiro de maneira responsável. Depois de se casarem, meu pai conseguiu emprego em uma empresa química, na qual trabalhou por trinta anos. Mamãe trabalhava em meio expediente, participava ativamente dos eventos promovidos pela igreja local, atuava no conselho escolar, fazia trabalho voluntário na biblioteca e visitava idosos e indivíduos com condições que os impediam de sair de casa.

Eram pessoas responsáveis. Corretas. Pagavam os impostos em dia. Votaram em Reagan (duas vezes!).

Foi com eles que aprendi a ser rebelde.

Porque — para além dessa postura básica de bons cidadãos — meus pais faziam o que bem entendiam de suas vidas e com total despreocupação. Meu pai decidiu que não queria apenas ser engenheiro químico; queria também cultivar árvores de Natal. E foi o que fez, em 1973. Mudou toda a família para uma fazenda, preparou o terreno, plantou algumas mudas e iniciou o projeto. Não largou o emprego fixo para seguir seu sonho; apenas incluiu o sonho em sua vida cotidiana. Também queria criar cabras, então comprou algumas e as levou para casa no banco de trás de nosso Ford Pinto. Tinha experiência em criação de cabras? Não, mas achava que poderia se virar. Foi a mesma coisa quando começou a se interessar pela criação de abelhas: simplesmente comprou algumas e começou. Trinta e cinco anos se passaram e ele ainda tem as colmeias.

Quando meu pai se interessava por alguma coisa, corria atrás. Tinha plena fé nas próprias capacidades. E quando precisava de algo (o que era raro, pois suas necessidades materiais são basicamente as de um mendigo), ele mesmo o produzia, consertava ou de alguma forma remendava — normalmente sem seguir instruções nem pedir conselho a especialistas. Meu pai não tem muito respeito por instruções ou especialistas. Diplomas e títulos o impressionam tanto quanto outras minúcias da vida civilizada, como alvarás de construção e placas de PROIBIDA A ENTRADA. (Para o bem ou para o mal, meu pai me ensinou que o melhor lugar para se montar uma barraca é sempre aquele com a placa de PROIBIDO ACAMPAR.)

Meu pai não gosta *mesmo* que lhe digam o que fazer. Seu senso de rebeldia individualista é tão forte que às vezes chega a ser cômico. Certa vez, quando servia na Marinha, recebeu do capitão a ordem de fazer uma caixa de sugestões para ser colocada na cantina. Cumprindo seu dever, papai construiu a caixa, pregou-a à parede, depois escreveu a primeira sugestão e a pôs lá dentro: *Sugiro que vocês removam a caixa de sugestões.*

Em muitos aspectos, meu pai é meio esquisitão, e seus instintos antiautoritários hiperdesenvolvidos às vezes beiram o patológico... mas sempre suspeitei que fosse um sujeito até bem descolado, mesmo na época em que eu era uma criança envergonhada passeando pela cidade em um Ford

Pinto cheio de cabras. Sabia que ele estava fazendo o que gostava e seguindo o próprio caminho, e eu sentia intuitivamente que isso fazia dele, por definição, uma pessoa interessante. Naquela época eu não tinha um termo para isso, mas agora vejo que ele estava praticando algo chamado "vivência criativa".

Gostei daquilo.

Também tomei nota para quando chegasse a hora de imaginar minha própria vida. Não que eu quisesse fazer as mesmas escolhas que meu pai tinha feito (não sou fazendeira nem republicana), mas seu exemplo me deu a força e a coragem necessárias para forjar meu caminho do meu jeito. Além disso, assim como meu pai, não gosto que ninguém me diga o que fazer. Embora evite entrar em confrontos diretos, sou extremamente teimosa. E essa teimosia ajuda quando se trata desse negócio de viver criativamente.

Quanto à minha mãe, é uma versão levemente mais civilizada de meu pai. Seu cabelo está sempre bem penteado, sua cozinha, arrumada, seus bons modos e a simpatia típica dos habitantes do Meio-Oeste são impecáveis, mas não a subestime, pois ela tem uma determinação de ferro e inúmeros talentos. Sempre acreditou ser capaz de construir, costurar, cultivar, tricotar, consertar, remendar ou pintar qualquer coisa de que a família precisasse. Cortava nossos cabelos. Assava nosso pão. Cultivava, colhia e conservava os legumes e as verduras que comíamos. Costurava nossas roupas. Fazia o parto dos cabritos. Matava as galinhas e as servia para o jantar. Aplicou sozinha o papel de parede da sala de estar e restaurou nosso piano (que tinha comprado por cinquenta dólares em uma igreja local). Poupava-nos de visitas ao médico encarregando-se ela mesma de nossos curativos. Sorria para todos e se mostrava sempre muito cooperativa, mas, quando ninguém estava olhando, moldava seu mundo exatamente como queria.

Acho que foi o exemplo de meus pais de como se afirmar de maneira discreta, porém despudorada que me deu a ideia de que poderia me tornar escritora, ou pelo menos poderia *tentar*. Não me lembro de meus pais terem jamais demonstrado qualquer preocupação a respeito do meu sonho de me tornar escritora. Se tinham alguma, nunca a manifestaram. Mas, honestamente, não creio que se preocupavam. Acho que acreditavam que eu seria sempre capaz de tomar conta de mim, pois foi isso que me ensinaram. (De qualquer forma, a regra básica na minha família é a seguinte: se você cuida do próprio sustento e não está incomodando ninguém, pode fazer o que bem entender da vida.)

Talvez porque não se preocupavam muito comigo, eu também não me preocupasse muito comigo.

Além disso, nunca me ocorreu pedir permissão a uma figura de autoridade para me tornar escritora. Nunca tinha visto ninguém em minha família pedir permissão para fazer *nada.*

Eles simplesmente faziam.

Então decidi seguir o exemplo: decidi simplesmente fazer.

Seu passe livre

Eis aonde estou querendo chegar:

Você não precisa da permissão de ninguém para levar uma vida criativa.

Talvez você não tenha sido criado com essa mentalidade. Pode ser que seus pais tivessem pavor de qualquer tipo de risco. Talvez fossem conformistas obsessivo-compulsivos ou, quem sabe, estivessem ocupados demais com depressões melancólicas, vícios ou personalidades abusivas para até mesmo pensar em usar a imaginação em prol da criatividade. Talvez temessem o que os vizinhos diriam. Pode ser que seus pais não fossem criadores; talvez fossem puros consumidores. Talvez você tenha crescido em um ambiente onde as pessoas passavam o tempo todo sentadas assistindo à TV, esperando que as coisas lhes acontecessem.

Esqueça tudo isso. Não importa.

Volte um pouco mais em seu histórico familiar. Veja como eram seus avós: há uma boa chance de que *eles, sim,* fossem criadores. Não? Ainda não? Então continue procurando. Volte ainda mais. Procure saber mais sobre seus bisavós, seus ancestrais. Busque os que eram imigrantes, escravos, soldados, fazendeiros, marinheiros ou aqueles que estavam entre os nativos originais que viram chegar os navios com estranhos a bordo. Se procurar o bastante, acabará encontrando pessoas que não eram meras consumidoras, que não ficavam sentadas esperando passivamente que as coisas lhes acontecessem. Acabará encontrando pessoas que passaram a vida produzindo.

É daí que você vem.

É daí que vimos todos nós.

Nós, humanos, já somos seres criativos há muito tempo — há tempo suficiente e de forma consistente o bastante para que possamos concluir que esse é um impulso totalmente natural. Para pôr a história em perspectiva, considere este fato: os primeiros indícios de arte humana reconhecível datam de mais de 40 mil anos atrás. Em contrapartida, os indícios mais antigos de agricultura humana têm apenas 10 mil anos. O que significa que, em algum ponto na história da nossa evolução, decidimos que era mais importante produzir itens esteticamente atraentes, porém supérfluos, do que aprender como obter alimentos de maneira regular.

A diversidade de nossa expressão criativa é fantástica. Entre os trabalhos artísticos mais duradouros e amados do mundo há obras inequivocamente majestosas. Algumas chegam a nos dar vontade de cair de joelhos e chorar. Mas outras não. Às vezes, o mesmo ato de expressão artística que mexe com você, que o empolga, pode me matar de tédio. Uma parcela da arte criada pelas pessoas no decorrer dos séculos é absolutamente sublime e provavelmente surgiu de uma noção superior de seriedade e sacralidade, mas não toda ela. Boa parte não passa de obra de gente que estava só se divertindo: deixando uma peça de cerâmica um pouco mais bonita, construindo uma cadeira melhor ou desenhando pênis nas paredes para passar o tempo. E isso também é válido.

Você quer escrever um livro? Compor uma canção? Dirigir um filme? Decorar peças de cerâmica? Aprender a dançar? Explorar territórios desconhecidos? Quer desenhar um pênis na parede? Vá em frente. Quem se importa? É seu direito como ser humano, exerça-o com o coração leve. (Quer dizer, leve a sério o que está fazendo, claro, mas não a *sério, sério*.) Deixe que a inspiração o guie para onde quer que deseje guiá-lo. Tenha em mente que, durante a maior parte da história, as pessoas simplesmente produziam coisas, sem fazer grande estardalhaço.

Produzimos porque *gostamos* de produzir.

Buscamos aquilo que é interessante e novo porque *gostamos* do interessante e do novo.

E a inspiração trabalha conosco, ao que parece, porque *gosta* de trabalhar conosco — porque os seres humanos possuem algo especial, algo a mais, algo superfluamente rico, algo que a romancista Marilynne Robinson descreve como "uma superabundância que é mágica".

Sabe essa superabundância mágica?

Pois bem: isso é sua criatividade intrínseca, fervilhando de maneira discreta, em seu estilo profundamente reservado.

Está pensando em se tornar uma pessoa criativa? Tarde demais: você *já é* uma pessoa criativa. Aliás, dizer que uma pessoa é criativa é de uma redundância quase cômica; a criatividade é a marca da nossa espécie. Temos os sentidos necessários à criação; a curiosidade necessária; os polegares opositores necessários; temos o ritmo necessário; temos a linguagem, o entusiasmo e a conexão inata com a divindade necessários.

Se você está vivo, é uma pessoa criativa. Eu, você e todo mundo que conhecemos descendemos de milhares de gerações de criadores. Decoradores, reparadores, contadores de histórias, dançarinos, exploradores, rabequistas, percussionistas, construtores, cultivadores, solucionadores de problemas e embelezadores — esses são nossos ancestrais comuns.

Os guardiões da alta cultura tentarão convencê-lo de que as artes pertencem apenas a uns poucos eleitos, mas estão errados, e, além disso, são uns chatos. Somos *todos* eleitos. Somos todos criadores por natureza. Mesmo que sua infância tenha se resumido a assistir a desenhos animados dia e noite, em um estupor induzido pelo excesso de açúcar, a criatividade ainda espreita dentro de você. A criatividade é bem mais velha do que você, do que qualquer um de nós. Seu corpo e seu próprio ser foram perfeitamente projetados para viver em colaboração com a inspiração, e a inspiração ainda está tentando encontrar você — da mesma maneira que perseguiu seus ancestrais.

Tudo isso é para dizer o seguinte: *você não precisa da autorização de ninguém para levar uma vida criativa.*

Mas se continua achando que precisa, TOME! Acabo de lhe dar uma.

Acabo de escrevê-la no verso de uma antiga lista de compras.

Considere-se plenamente autorizado.

Agora vá criar alguma coisa.

Decore-se

Tenho uma vizinha que está sempre se tatuando.

Seu nome é Eileen e ela faz novas tatuagens da mesma forma que eu compraria um novo par de brincos baratos: só por fazer, porque deu na telha. Às vezes Eileen acorda meio deprimida e anuncia: "Acho que vou fazer uma tatuagem nova hoje". Se alguém lhe pergunta que tipo de tatuagem está planejando fazer, responde: "Ah, não sei. Vou decidir quando chegar lá. Ou então vou deixar o tatuador me surpreender".

Bem, não estamos falando aqui de uma adolescente com problemas para controlar os impulsos. Eileen é uma mulher adulta, tem filhos crescidos e dirige um negócio bem-sucedido. Além disso, é superdescolada, dona de uma beleza única e um dos espíritos mais livres que já conheci. Certa vez, quando lhe perguntei como podia permitir que seu corpo fosse permanentemente marcado de forma tão casual, ela respondeu: "Ah, mas você está enganada! Não é permanente. É temporário".

Confusa, perguntei: "Como assim? Suas tatuagens são temporárias?".

Ela sorriu e disse: "Não, Liz. Minhas tatuagens são permanentes; é só meu *corpo* que é temporário. Assim como o seu. Só estamos aqui na Terra por um curto período, então decidi que queria me decorar da maneira mais divertida possível enquanto ainda tenho tempo".

Mal posso dizer quanto amei ouvir aquilo.

Porque, assim como Eileen, também quero decorar minha vida temporária da maneira mais colorida possível. E não digo apenas no sentido físico, mas também no emocional, espiritual e intelectual. Não quero ter medo de cores vibrantes, novos sons, grandes amores, decisões arriscadas, experiências estranhas, desafios bizarros, mudanças repentinas, ou mesmo do fracasso.

Veja bem, não vou cobrir meu corpo com tatuagens (simplesmente porque essa não é a minha praia), mas vou, *sim*, passar o maior tempo possível criando coisas prazerosas com minha existência, pois é isso que me desperta, que faz com que me sinta viva.

Vou fazer minha decoração com tinta de impressão, não de tatuagem. Mas meu impulso de escrever tem exatamente a mesma origem que o impulso de Eileen de transformar a pele em uma tela vibrante enquanto ainda está aqui.

Ambos têm origem naquela voz interior que diz: *Por que não?*

Afinal de contas, tudo isso é temporário.

Pretensão

Mas, para viver assim — livre para criar, explorar —, é preciso ter uma forte pretensão, que espero que você aprenda a cultivar.

Reconheço que o termo *pretensão* tem conotações extremamente negativas, mas gostaria de me apropriar dele e utilizá-lo aqui por uma boa causa. Porque você nunca conseguirá criar nada de interessante na vida se não acreditar que merece ao menos tentar. Pretensão criativa não significa que você deva se comportar como uma princesa ou agir como se o mundo lhe devesse alguma coisa. Não, pretensão significa simplesmente acreditar que *você tem o direito de estar aqui* e — pelo mero fato de estar aqui — se expressar e ter uma visão própria.

O poeta David Whyte chama essa pretensão criativa de *arrogance of belonging*, algo como "arrogância do pertencimento", e afirma que é um privilégio absolutamente vital a ser cultivado se você deseja interagir de maneira mais intensa com a vida. Sem essa arrogância do pertencimento, você nunca conseguirá assumir nenhum risco criativo. Sem ela, nunca se forçará a sair do sufocante isolamento da segurança pessoal, a atravessar as fronteiras do belo e do inesperado.

A arrogância do pertencimento não tem a ver com egoísmo ou ensimesmamento. Estranhamente, é o oposto; é uma força divina que de fato *o traz para fora de si* e permite que você interaja de maneira mais plena com a vida. Porque, muitas vezes, o que o impede de levar uma vida criativa *é* o ensimesmamento (suas dúvidas a respeito de si mesmo, sua aversão a si mesmo, sua autocrítica, seu instinto esmagador de autoproteção). A arrogância do pertencimento o tira das profundezas sombrias da autodepreciação não porque diz "Eu sou o melhor!", mas porque simplesmente afirma "Estou aqui!".

Acredito que esse tipo de arrogância benéfica — esse simples direito a existir e, portanto, a se expressar — é a única arma para combater o desagradável diálogo que surge automaticamente em sua cabeça toda vez que você tem um impulso artístico. Sabe do que estou falando, não é? Daquele diálogo que se desenrola mais ou menos assim: "Quem diabos você pensa que é para tentar ser criativo? Você é um inútil, um estúpido, não tem nenhum talento nem nenhum propósito. Volte para seu buraco".

Ao que você talvez tenha respondido obedientemente durante toda a vida: "Tem razão. Sou mesmo inútil e estúpido. Obrigado. Vou voltar para o meu buraco agora".

Eu gostaria de vê-lo ter uma conversa consigo mesmo mais produtiva e interessante do que essa. Pelo amor de Deus, pelo menos se defenda!

O primeiro passo para defender seu direito a ser uma pessoa criativa é se definir, declarar seu propósito. Levante-se e diga-o, qualquer que seja ele:

Sou escritor.
Sou cantor.
Sou ator.
Sou jardineiro.
Sou dançarino.
Sou inventor.
Sou fotógrafo.
Sou chef de cozinha.
Sou designer.
Sou isso, aquilo e também aquilo outro!
Ainda não sei exatamente o que sou, mas estou curioso para descobrir!

Verbalize-o. Mostre a ele que você está aí. Aliás, mostre *a si mesmo* que você está aí. Porque essa declaração de propósito é um anúncio tanto para você quanto para o universo ou para qualquer outra pessoa. Ao ouvir esse anúncio, sua alma vai se mobilizar. E, ao fazê-lo, vai se sentir extasiada, pois foi para isso que você nasceu. (Pode acreditar, sua alma vem esperando há anos que você acorde para a própria existência.)

Contudo, cabe a você iniciar a conversa. E depois você precisa sentir que tem direito a continuar na conversa.

Essa declaração de propósito e de direito não é algo que você possa fazer só uma vez e depois esperar milagres; é algo que precisa ser feito diariamente, para sempre. Venho tendo que me definir e me defender como escritora todos os dias da minha vida adulta. Estou o tempo todo lembrando e relembrando minha alma e o cosmos de que levo muito a sério esse negócio de viver criativamente e de que nunca vou deixar de criar, independentemente do resultado e de quão profundas sejam minhas ansiedades e inseguranças.

Com o passar do tempo, encontrei também o tom de voz correto para fazer essas afirmações. É melhor ser insistente, porém afável. Repita-se, mas não seja estridente. Fale com sua voz interior mais sombria e negativa da maneira como um negociador de reféns falaria com um psicopata violento: com calma, porém firme. Acima de tudo, nunca recue. Você não pode se dar ao luxo de recuar. Afinal de contas, a vida que está negociando para salvar é a sua.

"Quem diabos você pensa que é?", sua voz interior mais sombria exigirá saber.

"É engraçado você estar perguntando", você pode responder. "Vou lhe dizer quem eu sou: sou filho de Deus, como todo mundo. Sou parte deste universo. Tenho espíritos protetores invisíveis que acreditam em mim e que trabalham ao meu lado. Só o fato de estar aqui é prova de que tenho direito a estar aqui. Tenho direito à minha voz e à minha visão. Tenho direito a colaborar com a criatividade, pois sou eu mesmo um produto e uma consequência da Criação. Estou em uma missão de libertação artística, *então liberte a refém*."

Viu?

Agora é sua vez de falar.

Originalidade × autenticidade

Talvez você tenha medo de não ser original o suficiente. Talvez seja este o problema: você se preocupa com a possibilidade de que suas ideias sejam triviais, banais e, portanto, indignas de criação.

Aspirantes a escritores com frequência me dizem: "Tenho uma ideia, mas temo que já tenha sido realizada".

Bem, é provável que já tenha sido realizada. A maioria das coisas já foi realizada — mas ainda não foram realizadas por *você*.

No decorrer de sua carreira literária, Shakespeare cobriu praticamente todos os enredos existentes, mas isso não impediu que quase cinco séculos de escritores explorassem os mesmos enredos de novo. (E lembre-se de que muitas dessas histórias já eram clichês muito antes até de Shakespeare pôr as mãos nelas.) Conta-se que, ao ver as pinturas rupestres da caverna de Lascaux, Picasso disse: "Não aprendemos nada em 12 mil anos", o que provavelmente é verdade. Mas e daí?

E daí se repetimos os mesmos temas? E daí se giramos repetidamente em torno das mesmas ideias, geração após geração? E daí se cada nova geração sente os mesmos impulsos e faz as mesmas perguntas que os humanos sentem e fazem há anos? Somos todos aparentados, afinal de contas, então é inevitável que haja alguma repetição de instintos criativos. Tudo nos lembra alguma coisa. Mas quando você põe a própria expressão e a própria paixão em uma ideia, essa ideia se torna *sua*.

Seja como for, quanto mais envelheço, menos a originalidade me impressiona. Hoje em dia, a autenticidade me comove muito mais. Tentativas de fazer algo original muitas vezes acabam parecendo forçadas e afetadas, porém a autenticidade tem uma ressonância singela que sempre mexe comigo.

Então, simplesmente diga o que quer dizer e diga-o de todo o coração.

Compartilhe o que se sentir impelido a compartilhar.

Se for autêntico o suficiente — pode acreditar —, *parecerá* original.

Motivos

Ah, e ainda há mais uma coisa: você não precisa salvar o mundo com sua criatividade.

Sua arte não apenas não precisa ser original como também não precisa ser *importante*.

Por exemplo: toda vez que alguém me diz que quer escrever um livro para ajudar outras pessoas, penso: *Ah, não, pelo amor de Deus, não faça isso*.

Não tente me ajudar.

Quer dizer, é muito gentil da sua parte querer ajudar as pessoas, mas não faça disso sua única motivação criativa, pois os outros sentirão o peso da sua intenção como um fardo sobre suas almas. (Isso me lembra da maravilhosa frase da colunista britânica Katharine Whitehorn: "É fácil reconhecer as pessoas que vivem para os outros pelo olhar atormentado no rosto dos outros".) Eu preferiria mil vezes que você escrevesse um livro para se divertir a que o fizesse para me ajudar. Ou, se seu assunto for mais sombrio e sério, preferiria que você produzisse sua arte para se salvar ou para se libertar de um grande fardo psíquico a que o fizesse para salvar ou libertar o resto de *nós*.

Certa vez, escrevi um livro para me salvar. Escrevi aquelas memórias de viagem para compreender minha própria jornada e minha confusão emocional. Tudo que estava tentando fazer com aquele livro era me entender. No entanto, acabei escrevendo uma história que aparentemente ajudou muitas outras pessoas a se entenderem. Mas essa nunca foi minha intenção. Se eu tivesse me sentado para escrever *Comer, rezar, amar* com o único objetivo de ajudar os outros, teria produzido um livro completamente diferente. Poderia até ter produzido um livro ilegível de tão insuportável. (Tudo bem, tudo bem... Para falar a verdade, muitos críticos consideraram *Comer, rezar, amar* insuportável de qualquer forma, mas a questão não é essa. A questão é que escrevi aquele livro por necessidade própria, e talvez seja por isso que muitos leitores o consideraram genuíno e até útil.)

Considere, por exemplo, o livro que você tem nas mãos neste exato momento. *Grande Magia* é obviamente um guia de autoajuda, certo? Mas, com todo o respeito e todo o carinho, não o escrevi para você; escrevi para *mim*. Escrevi para meu próprio prazer, pois adoro refletir sobre a questão da criatividade. Para mim, é agradável e útil meditar a respeito desse tema. Se o que escrevi aqui acabar por ajudá-lo, ótimo, ficarei feliz. Esse seria um maravilhoso efeito colateral. Mas, no final das contas, faço o que faço porque gosto.

Tenho uma amiga que é freira e passou toda a vida trabalhando para ajudar os moradores de rua da Filadélfia. É praticamente uma santa viva. É uma defensora incansável dos pobres, sofridos, perdidos e abandonados. E sabe por que seu trabalho beneficente é tão eficaz? *Porque é o que ela gosta de fazer*. Porque é agradável para ela. Caso contrário, não funcionaria, seria apenas uma penosa obrigação, um triste martírio. Contudo, a irmã Mary Scullion não tem nada de mártir. É uma alma alegre, que leva uma existência maravilhosa, fazendo aquilo que melhor se encaixa na sua natureza e que mais lhe dá vida. Por acaso, a vocação dela é justamente cuidar dos outros, mas o prazer genuíno por trás de sua missão é palpável para todos, e é por isso que sua presença é tão reconfortante.

O que estou tentando dizer é que não há nada de errado em ter um trabalho que seja divertido. Assim como não há nada de errado em ter um trabalho que seja reconfortante, ou redentor, ou que seja simplesmente um hobby que o impeça de ir à loucura. Não há nada de errado nem mesmo em ter um trabalho que seja totalmente frívolo. É permitido. Tudo é permitido.

Suas próprias razões para criar bastam. Ao simplesmente correr atrás do que ama, pode ser que você acabe inadvertidamente ajudando muito os outros. ("Não existe amor que não se transforme em ajuda", ensinou o teólogo Paul Tillich.) Portanto, faça aquilo que o estimula. Siga suas fascinações, obsessões e compulsões. Confie nelas. Crie aquilo que faz seu coração bater mais forte.

O resto virá por si só.

Formação

Nunca fiz pós-graduação em escrita criativa. Aliás, nunca fiz pós-graduação em nada. Formei-me bacharel em ciência política na Universidade de Nova York (porque tinha que escolher *algum* curso de graduação) e ainda me sinto privilegiada por ter recebido o que considero uma excelente formação liberal em humanas, à moda antiga.

Embora sempre soubesse que queria ser escritora e apesar de ter cursado algumas cadeiras de escrita criativa na faculdade, optei por não fazer um mestrado na área. Via com desconfiança a ideia de que o melhor lugar para encontrar minha voz fosse uma sala com quinze outros jovens escritores tentando encontrar *suas* vozes.

Além disso, não estava muito segura do que uma pós-graduação em escrita criativa me traria. Um diploma em artes não é como um diploma em odontologia, por exemplo, com o qual você pode estar praticamente certo de que encontrará um trabalho na área após se formar. E embora ache importante que haja um credenciamento oficial para dentistas (assim como para pilotos de avião, advogados e, aliás, até manicures), não estou convencida de que o mesmo se aplique a romancistas. A história parece concordar comigo a respeito disso. Doze escritores americanos ganharam o prêmio Nobel de Literatura desde 1901: nenhum deles tinha mestrado em artes. Quatro deles nem sequer foram além do ensino médio.

Hoje em dia, há muitas instituições absurdamente caras onde é possível estudar artes. Algumas são fabulosas; outras, nem tanto. Se quiser seguir esse caminho, vá em frente, mas saiba que é uma troca e certifique-se de que ela realmente lhe traz benefícios. O que a escola recebe com essa troca é óbvio: seu dinheiro. O que o aluno recebe depende da própria dedicação ao aprendizado, da seriedade do curso e da qualidade dos professores. É verdade, esses cursos podem ajudá-lo a ser mais disciplinado, a aprimorar seu estilo e até, quem sabe, a ter mais coragem. Talvez lá você encontre também sua tribo: colegas que poderão vir a lhe oferecer valiosos contatos profissionais e apoio no decorrer de sua carreira. Com sorte, quem sabe você possa até encontrar o mentor de seus sonhos na forma de um professor particularmente sensível e dedicado. Porém, o que me preocupa é que, muitas vezes, aquilo que os estudantes de artes buscam em uma formação de nível superior não é nada além de uma prova de sua própria legitimidade — uma prova de que levam a sério o ofício criativo, como atesta o diploma.

Por um lado, entendo perfeitamente essa necessidade de validação; a tentativa de criar é uma busca incerta. Por outro, se você trabalha sozinho todos os dias em suas criações, com disciplina e amor, *já está* levando a sério o ofício criativo e não precisa pagar ninguém para confirmá-lo.

Se já fez um curso superior em alguma área criativa, não se preocupe! Com sorte, ele terá ajudado a melhorar sua arte, e, mesmo que esse não seja o caso, tenho certeza de que mal não fez. Use as lições que aprendeu na faculdade para aprimorar seu ofício. Se estiver fazendo uma formação em artes atualmente e puder bancá-la sem dificuldades, tudo bem também. Se tiver uma bolsa de estudos, melhor ainda. Se tem a sorte de estar onde está, use-a a seu favor. Trabalhe com afinco, aproveite ao máximo as oportunidades e cresça, cresça, cresça. Esse pode ser um belo período de estudo focado e expansão criativa. Contudo, se estiver considerando a possibilidade de fazer algum tipo de curso superior em artes e não estiver nadando em grana, acredite no que estou lhe dizendo: *você pode viver sem ele*. Pode, sem dúvida, viver sem as dívidas, que são sempre o abatedouro dos sonhos criativos.

Um dos melhores pintores que conheço é professor em uma das faculdades de artes mais renomadas do mundo, mas não possui ele mesmo um diploma de pós-graduação. É um mestre, sim, mas desenvolveu sozinho sua maestria. Tornou-se um grande pintor porque deu um duro danado durante anos para se tornar um grande pintor. Agora ensina outras pessoas em um nível em que ele mesmo nunca foi ensinado. O que nos faz questionar a necessidade do sistema. No entanto, estudantes de todo o mundo se matriculam nessa faculdade e muitos (aqueles que não vêm de famílias ricas ou que não recebem bolsas de estudo integrais da universidade) terminam o curso com milhares de dólares em dívidas. Meu amigo se preocupa muito com seus alunos e, portanto, sente um aperto no coração ao vê-los se afundarem em dívidas (ao mesmo tempo que, paradoxalmente, buscam se tornar mais como *ele*). Também fico com o coração apertado.

Quando perguntei a meu amigo por que fazem isso — por que esses alunos hipotecam o futuro em troca de uns poucos anos de estudos criativos —, ele respondeu: "Bem, a verdade é que eles nem sempre param muito para pensar. A maioria dos artistas são pessoas impulsivas que não têm costume de planejar com muita antecedência. Artistas, por natureza, são apostadores. Apostar é um hábito perigoso. Mas sempre que você cria arte, está apostando. Está lançando os dados e torcendo pela chance remota de que o investimento de tempo, energia e recursos que está fazendo agora traga grandes retornos mais tarde — torcendo para que alguém compre seu trabalho e para que você consiga alcançar o sucesso. Muitos de meus alunos estão apostando na possibilidade de que essa formação caríssima valha a pena a longo prazo".

Entendo perfeitamente. Também sempre fui criativamente impulsiva. São os ossos do ofício da curiosidade e da paixão. Estou sempre fazendo apostas e me arriscando em meu trabalho — ou, pelo menos, tento estar. Mas, se você vai apostar, *esteja ciente de que está apostando*. Nunca lance os dados sem saber o que está fazendo. E certifique-se de que pode de fato cobrir suas apostas (tanto emocional quanto financeiramente).

O que me preocupa é que muitos pagam os olhos da cara por uma pós-graduação em artes sem se dar conta de que isso não passa de uma aposta, embora talvez lhes pareça que estão fazendo um investimento seguro no futuro. Afinal de contas, a faculdade não é o lugar aonde as pessoas vão para aprender uma profissão? E uma profissão não é algo responsável e digno de respeito? Acontece que as artes não são uma *profissão*, pelo menos não como as profissões comuns. No caso da criatividade, não há estabilidade de emprego nem nunca haverá.

Afundar-se em dívidas para se tornar um criador, portanto, pode transformar em estresse e fardo algo que só deveria ser prazeroso e libertador. E, depois de tanto investimento em sua formação, os artistas que não alcançam o sucesso profissional imediatamente (a maioria) podem se sentir fracassados. Esse sentimento de fracasso pode afetar sua autoconfiança criativa e talvez até impedi-los completamente de seguir criando. Encontram-se então na terrível posição de ter de lidar não só com o sentimento de vergonha e fracasso, mas também com altas contas mensais que sempre os lembrarão dessa vergonha e desse fracasso.

Quero deixar claro que não sou de modo algum contra o ensino superior. Apenas sou contra dívidas estratosféricas, sobretudo para aqueles que desejam levar uma vida criativa. E nos últimos tempos (pelo menos nos Estados Unidos), o conceito de ensino superior tornou-se praticamente sinônimo de dívidas estratosféricas. Ninguém precisa menos de dívidas do que um artista. Então, tente não cair nessa armadilha. E, se já caiu, tente escapar utilizando todos os meios necessários, assim que puder. Liberte-se para poder viver e criar mais livremente, tal como foi concebido pela natureza para fazer.

Cuide-se, é o que estou dizendo.

Cuide-se para proteger seu futuro, mas também sua sanidade mental.

Experimente esta outra opção

Em vez de contrair empréstimos para fazer um curso superior em artes, por que você não tenta explorar o mundo com mais coragem, mergulhar mais fundo nele? Ou talvez mergulhar mais fundo e com mais coragem em si mesmo? Faça uma avaliação honesta da formação que você *já tem*: os anos que viveu, as dificuldades que enfrentou, as habilidades que adquiriu ao longo do caminho.

Se ainda for jovem, abra bem os olhos e deixe que o mundo o eduque ao máximo. ("Erga-se muito além dos livros de escola!", advertiu-nos Walt Whitman. Pois faço também a mesma advertência: há muitas maneiras de aprender que não necessariamente envolvem salas de aula.) E sinta-se à vontade para começar a compartilhar seu ponto de vista por meio da criatividade, mesmo que seja apenas uma criança. Se você é jovem, você enxerga as coisas de uma maneira diferente da minha, e quero saber como as enxerga. Todos nós queremos. Quando olharmos para o seu trabalho (o que quer que seja), vamos querer sentir sua juventude, aquele frescor do recém-chegado. Seja generoso conosco, nos dê essa oportunidade. Afinal de contas, já faz tempo que muitos de nós não estão mais onde você se encontra agora.

Se for mais velho, acredite que o mundo o vem educando durante todo esse tempo. Você já sabe muito mais do que pensa que sabe. Não está acabado; está meramente *preparado*. Após certa idade — não importa como você vem empregando seu tempo —, é muito provável que tenha se formado doutor em vivência. Se ainda está aqui, se sobreviveu até agora, é porque sabe alguma coisa. Precisamos que você nos revele o que sabe, o que aprendeu, o que viu e o que sentiu. Se for mais velho, existe uma boa chance de que já possua absolutamente tudo o que precisa para levar uma vida mais criativa — exceto a confiança necessária para de fato fazer o trabalho. Mas precisamos que você faça o trabalho.

Jovem ou velho, precisamos do seu trabalho para enriquecer e informar nossas próprias vidas.

Então liberte-se de seus medos e de suas inseguranças e de todas as ideias incômodas sobre o que acredita ser necessário (e quanto acredita ser preciso pagar) para obter legitimidade criativa. Porque estou lhe dizendo que você *já* tem legitimidade criativa, pelo simples fato de existir, de estar aqui entre nós.

Seus mestres

Quer estudar com os grandes mestres? É isso? Bem, você pode encontrá-los em qualquer lugar. Eles vivem nas estantes de sua biblioteca, nas paredes dos museus, em gravações feitas décadas atrás. Seus mestres nem precisam estar vivos para ensiná-lo. Nenhum escritor vivo me ensinou mais sobre enredo e caracterização do que Charles Dickens, e nem preciso dizer que nunca me sentei com ele para discutir o assunto. Tudo o que precisei fazer para aprender com Dickens foi passar anos estudando sozinha seus romances como se fossem escrituras sagradas, depois praticando feito uma louca.

Aspirantes a escritores têm essa sorte, pois escrever é e sempre foi algo muito íntimo (e barato). Outras atividades criativas, é verdade, podem ser mais complicadas e bem mais caras. Se você quiser ser, por exemplo, cantor de ópera profissional ou violoncelista clássico, talvez precise de um treinamento supervisionado e mais rigoroso. Durante séculos as pessoas vêm estudando em conservatórios de música ou escolas de dança ou artes. Muitos criadores maravilhosos vieram dessas instituições. Por outro lado, muitos outros não vieram. E muitas pessoas talentosas receberam toda essa magnífica formação e nunca a puseram em prática.

Acima de tudo, uma coisa é verdade: não importa que seus professores sejam fantásticos ou que sua instituição de ensino seja renomada; mais cedo ou mais tarde, você terá que fazer o trabalho sozinho. Os professores não estarão mais lá. As paredes da escola desaparecerão e você estará só. As horas que dedicará então à prática, ao estudo, aos testes e à criação dependerão apenas de você.

Quanto mais cedo e mais apaixonadamente você se entregar a esta ideia — *de que no fim só depende de você* —, melhor se sairá.

Os gordinhos

Quando tinha vinte e poucos anos, em vez de frequentar um curso de escrita criativa, trabalhei servindo mesas em uma lanchonete. Mais tarde, trabalhei em um bar. Também já fui babá, professora particular, ajudante em um rancho, cozinheira, professora de escola e vendedora de brechó e de livraria. Morava em apartamentos baratos, não tinha carro e usava roupas compradas de segunda mão. Trabalhava em todos os turnos, economizava meu salário, depois ia viajar por um tempo para aprender coisas novas. Queria conhecer pessoas e ouvir suas histórias. Dizem que os escritores devem escrever a respeito do que sabem, e tudo o que eu sabia era que ainda não sabia muita coisa, então parti em uma busca deliberada de material. Trabalhar na lanchonete foi ótimo, pois tinha acesso a dezenas de vozes diferentes todos os dias. Mantinha dois caderninhos nos bolsos traseiros:

um para os pedidos dos clientes e o outro para seus diálogos. Trabalhar no bar foi ainda melhor, porque aqueles personagens quase sempre estavam levemente embriagados e, portanto, ainda mais dispostos a compartilhar suas narrativas. (Trabalhando no bar, aprendi não só que todo mundo tem uma história capaz de nos tocar o coração, mas também que todo mundo quer compartilhar essa história.)

Mandava meus trabalhos para diversas publicações e, em troca, recebia uma coleção de cartas de recusa. Continuei escrevendo, apesar das rejeições. Trabalhava em meus contos sozinha no quarto — e também em estações de trem, escadarias, bibliotecas, parques e nos apartamentos de vários amigos, namorados e parentes. Enviava cada vez mais trabalhos para diferentes editoras e era sempre rejeitada, rejeitada, rejeitada.

Não gostava das cartas de recusa. Quem gostaria? Mas pensava a longo prazo: minha intenção era passar a vida toda em comunhão com a escrita e ponto final. (E como as pessoas na minha família vivem para sempre — tenho uma avó de 102 anos! —, achei que, aos vinte e poucos anos, era cedo demais para começar a entrar em pânico e achar que meu tempo estava acabando.) Sendo assim, os editores podiam me rejeitar quanto quisessem; eu não iria a lugar nenhum. Sempre que recebia essas cartas de recusa, portanto, permitia que meu ego dissesse em voz alta para quem quer que as tivesse assinado: "Pensa que consegue me desanimar? Ainda tenho mais uns oitenta anos para vencer você pelo cansaço! Existem pessoas que *ainda nem nasceram* e que vão me rejeitar algum dia, só para você ter ideia de por quanto tempo pretendo continuar insistindo".

Depois guardava a carta e voltava a trabalhar.

Decidi jogar o jogo das cartas de recusa como se fosse uma grande e cósmica partida de tênis: alguém me lançava uma recusa e eu a rebatia imediatamente por cima da rede, enviando o trabalho para outra editora naquela mesma tarde. Minha política era: *Você joga para mim, eu rebato diretamente para o universo*.

Sabia que tinha que fazer assim, pois ninguém publicaria meu trabalho para mim. Não tinha nenhum defensor, nenhum agente, nenhum patrono, nenhum contato. (Não só não conhecia ninguém que tivesse um emprego no mundo editorial como também não conhecia quase ninguém que *tivesse um emprego*, qualquer que fosse.) Sabia que ninguém bateria um dia em minha porta e diria: "Ouvimos dizer que mora aqui uma jovem escritora muito talentosa cujos trabalhos nunca foram publicados. Gostaríamos de ajudá-la a progredir em sua carreira". Não, eu precisava me promover, e foi o que fiz. Repetidamente. Lembro-me de ter a clara sensação de que nunca conseguiria vencê-los pelo cansaço — aqueles guardiões sem rosto e sem nome do portão que eu incansavelmente sitiava. Talvez nunca cedessem. Talvez nunca me deixassem entrar. Talvez minha estratégia nunca funcionasse.

Não importava.

Não desistiria de jeito nenhum de meu trabalho só porque não estava "funcionando". A questão não era essa. Eu sabia que as recompensas não podiam vir de resultados externos. Tinham de vir da alegria de desintrincar o trabalho em si e da consciência pessoal de que eu havia escolhido o caminho da devoção e estava sendo fiel a ele. Se algum dia tivesse a sorte de ser paga por meu trabalho, ótimo, mas, enquanto isso não acontecesse, sempre poderia conseguir dinheiro de outras formas. Existem muitas maneiras neste mundo de ganhar o suficiente para levar uma vida boa o bastante. Tentei várias delas e sempre consegui me virar bem.

Eu era feliz. Era uma completa desconhecida, mas era feliz.

Economizava meus salários, fazia viagens e tomava notas. Visitei as pirâmides do México e tomei notas. Pegava ônibus nos subúrbios de Nova Jersey e tomava notas. Fui ao Leste Europeu e tomei notas. Ia a festas e tomava notas. Fui ao Wyoming, trabalhei como cozinheira em um rancho e tomei notas.

Ainda antes de completar trinta anos, reuni alguns amigos que também queriam se tornar escritores e começamos nossa própria oficina literária. Duas vezes por mês, nos reuníamos por várias horas e líamos fielmente os trabalhos uns dos outros. Por razões que já não recordo, nos intitulávamos *Os gordinhos*. Era a oficina literária mais perfeita do mundo — pelo menos a nossos olhos. Havíamos selecionado os participantes cuidadosamente, impedindo assim que os estraga-prazeres que costumam aparecer em muitas dessas oficinas pisassem nos sonhos dos outros. Estabelecíamos prazos e incentivávamos uns aos outros a enviar trabalhos às editoras. Passamos a conhecer as vozes e as dificuldades de cada um dos participantes e ajudávamos uns aos outros a trabalhar para superar nossos obstáculos habituais específicos. Comíamos pizza e ríamos.

A oficina dos gordinhos era produtiva, inspiradora e divertida. Era um lugar seguro, onde podíamos criar, explorar e expor nossa vulnerabilidade — e era totalmente grátis! (Exceto a pizza, claro. Mas você entendeu aonde estou querendo chegar, certo? Podemos fazer esse tipo de coisa *nós mesmos*!)

Werner Herzog intervém

Tenho um amigo na Itália que é cineasta independente. Há muitos anos, quando ainda era um jovem revoltado, escreveu uma carta para seu herói, o grande diretor alemão Werner Herzog. Nela, meu amigo abriu o coração, reclamando com Herzog de como sua carreira estava indo mal, de como ninguém gostava de seus filmes e de como era difícil fazer filmes em um mundo onde ninguém se importa, onde tudo é tão caro, onde não há financiamento para as artes, onde o público cada vez mais só se interessa pelo vulgar e pelo comercial...

Se estava em busca de comiseração, no entanto, meu amigo bateu na porta errada. (As razões por que alguém procuraria *Werner Herzog*, entre todas as pessoas no mundo, como ombro amigo no qual chorar estão além de minha compreensão.) Seja como for, Herzog respondeu a meu amigo com uma longa carta contendo um desafio feroz, que dizia mais ou menos assim:

"Pare de reclamar. O mundo não tem culpa de você ter decidido ser artista. Não é o trabalho do mundo gostar dos filmes que você faz, e, sem dúvida, ele não tem nenhuma obrigação de financiar seus sonhos. Ninguém está interessado. Se precisar, roube uma câmera, mas pare de reclamar e volte ao trabalho."

(Nessa história, acabo de perceber, Werner Herzog estava essencialmente fazendo o papel da minha mãe. Que maravilha!)

Meu amigo emoldurou a carta e pendurou-a sobre a escrivaninha. E fez muito bem! Porque, embora a advertência de Herzog possa ter parecido uma repreensão, não foi. Foi uma tentativa de libertação. Para mim, é um enorme ato de amor humano lembrar uma pessoa de que ela pode alcançar as coisas por si só, de que o mundo não lhe deve automaticamente nenhuma recompensa e de que ela não é tão frágil e capenga quanto talvez acredite ser.

Esses lembretes podem parecer duros e muitas vezes não queremos ouvi-los, mas é uma simples questão de amor-próprio. Há algo de magnífico em incentivar alguém a finalmente encontrar seu amor-próprio, especialmente quando se trata de criar algo novo e corajoso.

Em outras palavras, aquela carta foi o passe livre do meu amigo.

Ele voltou a trabalhar.

Um truque

Pois então, eis um truque: pare de reclamar.

Confie em mim. E confie também em Werner Herzog.

Existem muitas boas razões para parar de reclamar se você quiser levar uma vida mais criativa.

Para começar, é irritante. Todo artista reclama, então esse é um assunto chato e batido. (Levando em consideração o volume de reclamações da classe artística, seria de imaginar que essas pessoas foram condenadas a suas vocações por um ditador maligno, não que escolheram seu trabalho de livre e espontânea vontade e de coração aberto.)

Em segundo lugar, *é claro* que é difícil criar; se não fosse, todo mundo estaria criando e não seria algo especial e interessante.

Em terceiro lugar, ninguém presta atenção de fato às reclamações dos outros, porque estamos todos focados demais em nossas próprias tribulações, então basicamente você está falando com as paredes.

Em quarto lugar, e acima de tudo, *você está espantando a inspiração.* Toda vez que reclama de como é difícil e cansativo ser criativo, a inspiração se afasta um pouco mais de você, ofendida. É quase como se a inspiração jogasse as mãos para o alto e dissesse: "Ei, foi mal, amigo! Não tinha me dado conta de que minha presença o incomodava tanto. Pode deixar que vou procurar outro sócio".

Já senti esse fenômeno em minha própria vida toda vez que começava a reclamar. Percebi como minha autocomiseração batia a porta na cara da inspiração, deixando a sala fria, pequena e vazia. Sendo assim, decidi ainda jovem tomar o seguinte caminho: comecei a dizer a mim mesma que *gostava do meu trabalho*. Declarei gostar de todos os aspectos de meus empreendimentos criativos — da agonia e do êxtase, do sucesso e do fracasso, da alegria e do constrangimento, dos períodos de seca, da labuta, dos tropeços, das confusões e de toda a estupidez da coisa.

Ousei até dizer isso em voz alta.

Disse ao universo (e a quem mais quisesse ouvir) que estava empenhada em levar uma vida criativa não para salvar o mundo, como um ato de protesto, para ficar famosa, para me tornar parte do cânone, para desafiar o sistema, para mostrar aos filhos da mãe, para provar a minha família que eu era digna, nem como uma forma de profunda catarse emocional terapêutica... mas simplesmente *porque gostava*.

Então tente dizer assim: "Eu gosto da minha criatividade".

E quando o disser, certifique-se de que não seja só da boca para fora.

É possível que você deixe muita gente de cabelo em pé. Acredito que gostar de coração do que se faz é a única postura realmente subversiva que ainda se pode adotar como um indivíduo criativo hoje em dia. É um ato de insubordinação, pois quase ninguém se atreve a falar em voz alta do prazer criativo, por medo de não ser levado a sério como artista. Então fale. Seja o esquisitão que ousa se divertir.

No entanto, o melhor de tudo é que, ao afirmar que sente prazer em seu trabalho, você atrai a inspiração. Ela ficará grata ao ouvir essas palavras saindo de sua boca, porque a inspiração — assim como todos nós — gosta de ser apreciada. Ela entreouvirá seu prazer e lhe enviará ideias como recompensa por seu entusiasmo e sua lealdade.

Mais ideias do que você jamais conseguiria usar.

Ideias suficientes para dez vidas.

Categorizações

Alguém me disse no outro dia: "Você afirma que podemos todos ser criativos, mas as pessoas não têm talentos e habilidades inatas completamente diferentes? Tudo bem, todos podemos fazer algum tipo de arte, mas somente alguns de nós podem ser realmente *excelentes*, certo?".

Não sei.

E, honestamente, nem quero saber.

Nem sequer me dou ao trabalho de pensar na diferença entre a arte superior e a inferior. Sou capaz de pegar no sono e dormir com a cara no prato de jantar se alguém começa a discursar sobre a distinção acadêmica entre a verdadeira maestria e a mera técnica. Certamente não quero jamais declarar com confiança que esta pessoa está destinada a se tornar um artista importante, enquanto aquela outra deveria desistir.

Como posso saber? Como pode alguém saber? É tudo muito subjetivo, e, de qualquer forma, a vida já me surpreendeu muitas vezes nessa área. Por um lado, já conheci pessoas brilhantes que não criaram absolutamente nada com seus talentos. Por outro, há pessoas por quem não dei nada, em uma atitude arrogante, e que mais tarde me comoveram com a majestade e a beleza de seus trabalhos. Isso foi para mim uma lição de humildade e me ensinou a não julgar o potencial dos outros nem descartar ninguém.

Então lhe imploro que não se preocupe com essas definições e distinções, está bem? Elas só o deixarão deprimido e perturbado, e precisamos que você esteja o mais leve e despreocupado possível para continuar criando. Quer você se considere brilhante ou um zero à esquerda, faça o que precisa fazer e compartilhe-o com o mundo. Deixe que os outros o categorizem como quiserem. E pode ter certeza de que o farão, pois é isso que as pessoas gostam de fazer. Na verdade, a categorização é algo que as pessoas *precisam* fazer para se sentirem mais tranquilas, para sentir que estão dando algum tipo de ordem ao caos da existência.

Sendo assim, as pessoas vão enquadrá-lo em todo tipo de categorias. Vão chamá-lo de gênio, fraude, amador, impostor, aspirante, ultrapassado, supérfluo, estrela em ascensão ou mestre da reinvenção. Podem elogiá-lo ou depreciá-lo. Podem dizer que você não passa de um mero escritor de um gênero só, de um mero ilustrador de livros infantis, de um mero fotógrafo comercial, de um mero ator de teatro amador, de um mero cozinheiro doméstico, de um mero músico de fim de semana, de um mero artesão, de um mero pintor de paisagem ou de um mero o que quer que seja.

Não importa. Deixe que as pessoas tenham suas opiniões. Mais do que isso, deixe que as pessoas sejam *apaixonadas* por suas opiniões, assim como eu e você somos apaixonados pelas nossas. Mas nunca se iluda a ponto de acreditar que precisa da bênção (ou mesmo da compreensão) de alguém para fazer o próprio trabalho criativo. E lembre-se sempre de que os julgamentos que as pessoas fazem de você não são da sua conta.

Finalmente, lembre-se do que W. C. Fields tinha a dizer a respeito disso: "O importante não é como os outros o chamam, mas sim os nomes a que você responde".

Aliás, nem se preocupe em responder.

Continue fazendo seu trabalho.

Casa dos espelhos

Escrevi um livro que acidentalmente se tornou um enorme best-seller e, durante alguns anos, foi como se eu estivesse morando na casa dos espelhos de um parque de diversões.

Acredite, nunca tive a intenção de escrever um best-seller. Mesmo que tentasse, não saberia como. (Um bom exemplo disso é o fato de eu ter escrito seis livros — todos com a mesma paixão e o mesmo esforço — e cinco deles decididamente *não terem sido* enormes best-sellers.)

Sem dúvida, não senti, enquanto escrevia *Comer, rezar, amar*, que estava produzindo o maior trabalho da minha vida ou o mais importante. Só sabia que, para mim, escrever algo tão pessoal era diferente de tudo que já havia feito. Imaginei que as pessoas fossem zombar do livro por ser tão sincero. Mas o escrevi mesmo assim, porque, por razões pessoais, precisava escrevê-lo (e também porque estava curiosa para ver se conseguiria transpor para o papel de maneira adequada minhas experiências emocionais). Nunca me ocorreu que meus pensamentos e sentimentos pudessem se cruzar de maneira tão intensa com os pensamentos e sentimentos de tantas outras pessoas.

Vou lhe contar uma história para você ver como eu não tinha a menor noção, enquanto escrevia o livro, do sucesso que ele faria. Durante uma das viagens narradas em *Comer, rezar, amar*, me apaixonei por aquele brasileiro chamado Felipe, com quem agora sou casada. Em determinado momento — pouco depois do início do nosso namoro —, perguntei se ele se importaria que eu escrevesse a respeito dele em minhas memórias. "Bem, depende", disse ele. "O que está em jogo?"

"Nada", respondi. "Acredite, *ninguém* lê meus livros."

Mais de 12 milhões de pessoas acabaram lendo aquele livro.

E porque tanta gente o leu e tanta gente discordou dele, em determinado ponto *Comer, rezar, amar* deixou de ser um livro propriamente dito e se tornou uma imensa tela na qual milhões de pessoas projetavam suas emoções mais intensas. Essas emoções iam desde ódio absoluto até adulação cega. Recebi cartas dizendo *Odeio tudo a respeito de você*, e outras que diziam *Você escreveu minha bíblia*.

Imagine se eu tivesse tentado criar uma definição de mim mesma com base em qualquer uma dessas reações. Não tentei. E essa é a única razão pela qual *Comer, rezar, amar* não me tirou de meu caminho como escritora: graças à profunda convicção que sempre tive de que os resultados do meu trabalho não têm muito a ver comigo. Só posso me encarregar de produzir a obra em si. Já é um trabalho difícil o suficiente. Recuso-me a assumir tarefas adicionais, como tentar policiar o que os outros pensam a respeito de meus livros depois que deixam minha escrivaninha.

Além disso, me dei conta de que seria absurdo e imaturo de minha parte esperar que eu tivesse direito a uma voz mas outras pessoas não. Se posso expressar minha verdade interior, então meus críticos também podem expressar as deles. Nada mais justo. Afinal de contas, se você se aventura a criar algo e a compartilhar sua criação com o resto do mundo, é possível que provoque acidentalmente algum tipo de reação. Esta é a ordem natural da vida: o eterno inspirar e expirar de ação e reação. Mas você definitivamente não tem controle sobre a reação — mesmo quando essa reação é pura e simplesmente bizarra.

Um dia, por exemplo, uma mulher me abordou em uma livraria e disse: "*Comer, rezar, amar* mudou a minha vida. Você me inspirou a largar meu marido violento e a me libertar. Tudo por causa daquele momento no seu livro — aquele momento em que você descreve como conseguiu uma ordem judicial de afastamento contra seu ex-marido porque estava cansada da violência dele e não ia mais tolerar aquilo".

Ordem judicial de afastamento? Violência?

Isso nunca aconteceu! Nem no meu livro nem na minha vida real! Não haveria nem como ler essa narrativa nas entrelinhas de minhas memórias, pois tudo isso não poderia estar mais longe da verdade. Contudo, aquela mulher subconscientemente inserira aquela história — sua própria história — em minhas memórias porque, imagino, precisava fazê-lo. (Talvez tenha sido mais fácil para ela, de alguma forma, acreditar que seu surto de determinação e força tinha vindo de mim e não de si mesma.) Qualquer que tenha sido sua motivação emocional, no entanto, ela se inseriu em minha história e, nesse processo, apagou a narrativa que eu havia escrito de fato. Por mais estranho que possa parecer, acho que tinha todo o direito de fazer isso. Acho que essa mulher tem pleno direito de interpretar meu livro como quiser. Depois que ele caiu em suas mãos, afinal, tudo nele passou a pertencer a ela, não mais a mim.

Reconhecer essa realidade — de que a reação não pertence a você — é a única maneira sã de criar. Se as pessoas gostarem do que você criou, ótimo. Se o ignorarem, que pena. Se o interpretarem de maneira errada, não se preocupe. E se simplesmente odiarem o que você criou? Se o atacarem com críticas mordazes, insultarem sua inteligência, difamarem seus motivos e arrastarem seu nome pela lama?

Apenas sorria e sugira — da maneira mais educada que puder — que vão fazer sua própria arte, pô!

E continue fazendo a sua.

Éramos apenas uma banda

Porque, no fim, não importa muito. Porque, no fim, *é só criatividade*.

Ou como John Lennon disse certa vez a respeito dos Beatles: "Éramos apenas uma banda!".

Não me leve a mal: adoro a criatividade. (E, é claro, venero os Beatles.) Venho dedicando toda a minha vida à busca da criatividade e passo muito tempo incentivando outras pessoas a fazerem o mesmo, pois acredito que uma vida criativa é a vida mais maravilhosa que se pode ter.

Sim, alguns de meus momentos mais transcendentes ocorreram durante episódios de inspiração ou enquanto testemunhava as magníficas criações de outras pessoas. E, sim, acredito piamente que nossos instintos artísticos têm origens mágicas e divinas. No entanto, isso não significa que precisemos levar tudo isso tão a sério, pois — em última análise — ainda percebo a expressão artística humana como algo não essencial, o que não só é uma bênção, mas é também revigorante.

E é por isso que a amo tanto.

Canários em uma mina de carvão

Acha que estou errada? Você é uma daquelas pessoas que acredita que a arte é a coisa mais séria e importante do mundo?

Se esse for o caso, meu amigo, você e eu precisamos seguir caminhos diferentes.

Ofereço minha própria vida como prova irrefutável de que a arte não importa tanto quanto às vezes nos levamos a acreditar. Porque, sejamos honestos, você teria dificuldade em encontrar um trabalho que não fosse objetivamente mais valioso para a sociedade do que o meu. Diga uma profissão, qualquer profissão: professor, médico, bombeiro, zelador, reparador de telhados, rancheiro, segurança, lobista político, profissional do sexo, até consultor, que nunca quer dizer nada de específico — todos são infinitamente mais essenciais ao bom funcionamento da comunidade humana do que qualquer romancista jamais foi ou jamais será.

Há um diálogo da série de TV *30 Rock* que resume perfeitamente essa ideia. Jack Donaghy está zombando de Liz Lemon, afirmando que, como uma mera escritora, ela é totalmente inútil para a sociedade. Liz, por sua vez, tenta defender sua fundamental importância social.

Jack: "Em um mundo pós-apocalíptico, que função a sociedade teria para você?".

Liz: "Bardo viajante!".

Jack, desdenhoso: "Canário em mina de carvão".

Acho que Jack Donaghy estava certo, mas não considero que essa seja uma verdade desanimadora. Pelo contrário, para mim é empolgante. O fato de que posso passar a vida fazendo coisas objetivamente inúteis significa que *não vivo* em uma distopia pós-apocalíptica. Significa que não estou exclusivamente presa à labuta da mera sobrevivência. Significa que ainda temos espaço suficiente em nossa civilização para os luxos da imaginação, da beleza e da emoção — e até da completa frivolidade.

A criatividade pura é magnífica precisamente *porque* é o oposto de tudo na vida que é essencial ou inevitável (comida, abrigo, remédios, estado de direito, ordem social, responsabilidades comunitárias e familiares, doença, perda, morte, impostos etc.). A criatividade pura é mais que uma necessidade; é uma dádiva. É a cobertura do bolo. Nossa criatividade é um bônus extravagante e inesperado do universo. É como se todos os deuses e anjos tivessem se reunido e dito: "Sabemos que não é fácil viver aí embaixo como um ser humano. Aqui, tomem alguns prazeres".

Em outras palavras, não me desanima nem um pouco saber que o trabalho que venho fazendo durante toda a vida é — pode-se argumentar — inútil.

Isso só me faz querer *brincar*.

Alto risco × baixo risco

Claro, é preciso dizer que existem lugares sombrios e terríveis no mundo onde a criatividade das pessoas não pode simplesmente brotar de um senso lúdico e onde a expressão pessoal tem repercussões enormes e muito sérias.

Se você é um jornalista dissidente sofrendo na cadeia na Nigéria, um cineasta radical em prisão domiciliar no Irã, uma jovem poeta oprimida lutando para ser ouvida no Afeganistão ou praticamente qualquer pessoa na Coreia do Norte, sua expressão criativa de fato traz consigo riscos extremos de vida ou morte. Há indivíduos que, com coragem e obstinação, continuam produzindo arte apesar de viverem sob terríveis regimes totalitários. Esses indivíduos são heróis, e deveríamos todos tirar o chapéu para eles.

Mas sejamos honestos: esse não é o caso da maioria de nós.

No mundo seguro em que eu e (muito provavelmente) você vivemos, os riscos da expressão criativa são *baixos*. Quase cômicos de tão baixos. Por exemplo, se uma editora não gostar do meu livro, pode ser que não o publique. Ficarei triste, sem dúvida, mas sei que ninguém virá à minha casa tentar me matar por conta disso. Da mesma forma, ninguém nunca morreu por conta de uma crítica negativa no *New York Times*. As calotas polares não derreterão com maior ou menor velocidade porque não consegui encontrar um fim convincente para meu romance.

Talvez nem sempre seja bem-sucedida em minha criatividade, mas o mundo não vai acabar por causa disso. Talvez não possa sempre me sustentar com a escrita, mas isso também não será o fim do mundo, pois há muitas outras maneiras de me sustentar, muitas delas mais fáceis do que escrever livros. E embora seja verdade que as críticas e os fracassos ferem meu precioso ego, o destino das nações não depende do meu precioso ego. (Graças a Deus!)

Então vamos tentar aceitar esta realidade: é muito provável que nunca haja em sua vida ou na minha nada que possa ser definido como "uma emergência artística".

Sendo assim, por que não fazer arte?

Tom Waits intervém

Anos atrás, entrevistei o músico Tom Waits para um perfil na revista *GQ*. Já falei sobre essa entrevista antes e provavelmente falarei sobre ela para sempre, pois nunca encontrei ninguém que se expressasse de maneira tão articulada e sábia a respeito da vivência criativa.

Durante a entrevista, Waits se lançou em um discurso extravagante e exaltado sobre todas as diferentes formas que as ideias para novas músicas assumem quando estão tentando nascer. Algumas músicas, afirmou, lhe vêm com uma facilidade quase absurda, "como beber sonhos de canudo". Outras, porém, requerem um esforço muito maior de sua parte, "como cavar batatas da terra". Há músicas que são grudentas e esquisitas, "como chiclete grudado debaixo de uma mesa velha", enquanto outras são como pássaros selvagens, dos quais é preciso se aproximar pela lateral, com discrição e delicadeza, para não assustá-los.

As músicas mais difíceis e petulantes, no entanto, só respondem a uma mão firme e uma voz autoritária. Há músicas, afirma Waits, que simplesmente não se permitem nascer e empacam a gravação de todo um álbum. Em momentos como esse, Waits pede que todos os outros músicos e técnicos deixem o estúdio para que ele possa ter uma conversa séria com a música teimosa. Anda de um lado para outro sozinho no estúdio, dizendo em voz alta: "Escuta aqui! Nós vamos todos fazer um passeio juntos! A família toda já está na van! Você tem cinco minutos para entrar, senão este álbum vai partir sem você!".

Às vezes funciona.

Às vezes não.

Às vezes é preciso deixar para lá. Algumas músicas simplesmente ainda não estão seriamente querendo nascer, disse Waits. Só querem perturbá-lo, tomar seu tempo e monopolizar sua atenção — talvez estejam esperando que outro artista apareça. Ele assume uma atitude filosófica a respeito dessas coisas. Costumava sofrer e se angustiar quando perdia uma música, contou-me, mas agora *confia*. Se uma música quer mesmo nascer, Waits confia que virá até ele da maneira certa e no momento certo. Caso contrário, a manda embora, sem ressentimentos.

"Vá perturbar outra pessoa", diz à música irritante que não quer ser música. "Vá perturbar Leonard Cohen."

Com o passar dos anos, Tom Waits finalmente começou a se permitir lidar com a criatividade de maneira mais leve: sem tanto drama, sem tanto medo. Muito dessa leveza, diz ele, veio de observar os filhos crescerem e de ver sua total liberdade de expressão criativa. Notou que eles se sentiam plenamente no direito de criar músicas o tempo todo e, quando as terminavam, as jogavam fora "como pecinhas de origami ou aviões de papel". Então cantavam a próxima música que chegava até eles pelo canal da inspiração. Nunca pareciam se preocupar com a possibilidade de que o fluxo de ideias pudesse ser interrompido. Nunca se estressavam a respeito de sua criatividade e nunca competiam contra si mesmos; apenas viviam confortavelmente em sua inspiração, sem questioná-la.

Waits tinha sido o oposto disso como criador. Contou-me que lutou profundamente com a criatividade durante a juventude, pois — como muitos jovens sérios — queria ser visto como importante, significativo, denso. Queria que seu trabalho fosse melhor do que o de outras pessoas. Queria ser complexo e intenso. Houve angústias, tormentos, bebedeiras, noites escuras da alma. Estava perdido no culto do sofrimento artístico, mas dava a esse sofrimento outro nome: dedicação.

Contudo, observando os filhos criarem de maneira tão livre, Waits teve uma epifania: na verdade, nada daquilo era assim tão importante. "Percebi que, como compositor", disse-me, "a única coisa que faço, na verdade, é criar joias para enfeitar a mente dos outros." A música nada mais é do que decoração para a imaginação. E só. Essa conclusão, afirmou Waits, pareceu lhe abrir as portas. Compor tornou-se menos doloroso depois disso.

Criação de joias mentais! Que trabalho legal!

Isso é basicamente o que todos nós fazemos — todos nós que passamos os dias produzindo coisas interessantes sem nenhuma razão lógica específica. Como criador, você pode produzir o tipo de joia que quiser para a mente das pessoas (ou simplesmente para a própria mente). Pode criar obras provocativas, agressivas, sagradas, ousadas, tradicionais, honestas, devastadoras, divertidas, brutais, fantásticas... mas, no fim das contas, não passa de criação de joias mentais. É só decoração. E isso é glorioso! Mas, sem dúvida, não é nada pelo qual valha a pena sofrer, está bem?

Então relaxe um pouco, é o que estou sugerindo.

Tente relaxar.

Caso contrário, de que adianta ter todos esses sentidos maravilhosos?

O paradoxo central

Em suma, portanto, a arte é totalmente insignificante. É também, contudo, profundamente significativa.

É um paradoxo, claro, mas somos todos adultos aqui e acho que podemos lidar com isso. Acho que podemos todos ter em mente ao mesmo tempo duas ideias mutuamente contraditórias sem que nossas cabeças explodam. Então vamos tentar. O paradoxo com o qual você precisa conviver e se sentir à vontade se quiser levar uma vida criativa satisfatória é mais ou menos o seguinte: "Minha expressão criativa precisa ser a coisa mais importante do mundo para mim (se eu quiser viver artisticamente), mas também não pode ter nenhuma importância (se eu quiser manter a sanidade mental)".

Às vezes é preciso saltar de um extremo ao outro desse espectro paradoxal em questão de minutos e saltar de volta logo em seguida. Ao escrever este livro, por exemplo, lido com cada frase como se dela dependesse o futuro da humanidade. Eu me importo, pois quero que seja adorável. Portanto, para mim, qualquer coisa aquém de uma dedicação total àquela frase seria desleixo, algo vergonhoso. Contudo, quando edito minha frase — às vezes imediatamente após escrevê-la —, tenho de estar disposta a atirá-la aos cães e nunca mais olhar para trás. (A menos, claro, que eu decida que preciso daquela frase novamente, e, nesse caso, é necessário cavar seus ossos, ressuscitá-la e mais uma vez enxergá-la como sagrada.)

Importa./Não importa.

Abra espaço em sua cabeça para esse paradoxo. O máximo de espaço possível.

Abra ainda mais espaço.

Você vai precisar.

Depois entre fundo nesse espaço — o mais fundo que puder — e crie absolutamente o que quiser criar.

Não é da conta de mais ninguém.

Persistência

Fazendo votos

Quando tinha em torno de dezesseis anos, fiz votos para me tornar escritora.

Quer dizer, fiz votos *literalmente* — como uma jovem de natureza totalmente diferente da minha poderia fazer para se tornar freira. Claro, precisei inventar a própria cerimônia, já que não existe nenhum sacramento oficial para uma adolescente que quer virar escritora, mas usei minha imaginação e minha paixão e dei um jeito. Certa noite, me recolhi em meu quarto e desliguei todas as luzes. Acendi uma vela, me pus de joelhos e jurei ser fiel à escrita pelo resto da vida.

Meus votos foram estranhamente específicos e, em minha opinião, bastante realistas. Não prometi que seria uma escritora bem-sucedida, pois sentia que o sucesso não estava sob meu controle. Também não prometi que seria uma grande escritora, porque não sabia se poderia ser grande. Além disso, não estabeleci nenhum limite de tempo para o trabalho, do tipo "Se não tiver publicado nada até os trinta anos, vou desistir deste sonho e encontrar outra carreira". Na verdade, não impus nenhuma condição ou restrição a meu caminho. Meu prazo era: nunca.

Em vez disso, simplesmente jurei ao universo que escreveria para sempre, independentemente do resultado. Prometi que tentaria encarar a escrita com coragem, gratidão e o mínimo de reclamação possível. Também prometi que nunca pediria à escrita que cuidasse de mim financeiramente, mas que *eu sempre cuidaria dela*, no sentido de que faria o que fosse preciso para sempre sustentar nós duas. Não pedi nenhuma recompensa externa por minha devoção. Só queria passar o resto da vida o mais perto possível da escrita, daquela fonte de toda a minha curiosidade e satisfação. Para isso, estava disposta a fazer o que precisasse para sobreviver.

Aprendizado

O curioso é que de fato mantive esses votos durante anos. Ainda os mantenho. Quebrei muitas promessas na vida (inclusive os votos de meu primeiro casamento), mas nunca aquela.

Mantive esses votos mesmo durante o caos de meus vinte e poucos anos, uma época de minha vida em que fui vergonhosamente irresponsável em todos os outros sentidos imagináveis. No entanto, apesar de toda a minha imaturidade, imprudência e irresponsabilidade, ainda honrei meus votos à escrita com a fidelidade de um peregrino religioso.

Escrevi todos os dias naquela época. Durante um tempo, tive um namorado que era músico e que praticava todos os dias. Ele tocava escalas; eu escrevia pequenas cenas ficcionais. A ideia era a mesma: nos manter ocupados com nossas respectivas artes, permanecer perto delas. Nos dias ruins, quando não sentia absolutamente nenhuma inspiração, marcava trinta minutos no timer da cozinha e me forçava a sentar e escrever alguma coisa, *qualquer coisa*. Tinha lido uma entrevista com John Updike na qual ele dizia que alguns dos melhores romances já produzidos haviam sido escritos em uma hora por dia. Calculei que poderia sempre arranjar pelo menos trinta minutos diários para me dedicar à escrita, independentemente do que mais estivesse acontecendo ou de quão mal eu achasse que o trabalho estava indo.

E, de modo geral, o trabalho de fato ia mal. Eu *realmente* não sabia o que estava fazendo. Às vezes sentia que estava tentando tricotar usando luvas de forno. Tudo levava uma eternidade. Eu não tinha técnica, habilidade. Às vezes levava um ano inteiro só para terminar um conto minúsculo. Na maior parte do tempo, de qualquer forma, tudo o que fazia era imitar meus autores preferidos. Passei por uma fase de Hemingway (quem não passa?), mas também por uma fase bastante séria de Annie Proulx e por outra um tanto quanto constrangedora de Cormac McCarthy. Mas é isso que você precisa fazer no começo; todo mundo imita antes de poder inovar.

Por algum tempo, tentei escrever como uma romancista gótica sulista, porque achava que aquela era uma voz muito mais exótica do que minha própria perspectiva ianque. Não era uma escritora sulista particularmente convincente, claro, mas isso porque nunca tinha vivido um dia sequer de minha vida no Sul. (Uma amiga, que é de fato sulista, me disse, irritada, depois de ler uma de minhas histórias: "Você põe todos esses homens sentados na varanda, comendo amendoim, e você mesma nunca *na vida* ficou sentada numa varanda, comendo amendoim! É muita cara de pau, menina!". Bem, fazer o quê? A gente tenta.)

Nada daquilo era fácil, mas essa não era a questão. Eu nunca esperei que escrever fosse fácil; somente que fosse *interessante*. E, para mim, sempre foi. Mesmo quando eu não conseguia acertar, ainda era interessante para mim. Ainda é. Nada jamais me interessou tanto. Aquele profundo sentimento de interesse me manteve trabalhando, mesmo quando eu não tinha nenhum sucesso palpável.

E, lentamente, fui melhorando.

A vida tem uma regra simples e generosa: você melhorará em tudo aquilo que praticar. Por exemplo, se tivesse passado anos jogando basquete, fazendo massas de confeitaria ou estudando mecânica automotiva todos os dias, a esta altura provavelmente seria craque em arremessos de lance livre, no preparo de tortas ou no conserto de caixas de câmbio.

Em vez disso, aprendi a escrever.

Uma ressalva

Mas isso não significa que se você não começar suas atividades criativas até os vinte e poucos anos depois será tarde demais!

Pelo amor de Deus, não é isso que estou dizendo.

Nunca é tarde demais.

Eu poderia dar dezenas de exemplos de pessoas incríveis que só começaram a seguir seus caminhos criativos mais tarde — às vezes muito mais tarde — na vida. Mas, por razões de economia, darei apenas um.

Seu nome era Winifred.

Eu a conheci na década de 1990, em Greenwich Village, em sua festa de aniversário de noventa anos, que foi um estouro. Era amiga de um amigo meu (um cara de vinte e poucos anos; Winifred tinha amigos de todas as idades e origens). Era uma espécie de celebridade nos arredores de Washington Square, uma verdadeira lenda boêmia que morava no Village desde sempre. Tinha longos cabelos vermelhos, que usava glamorosamente amontoados no topo da cabeça, e sempre estava enfeitada com colares de contas de âmbar. Quando o marido, que fora cientista, ainda era vivo, os dois passavam as férias caçando furacões e ciclones por todo o mundo, só por diversão. Ela mesma poderia ser considerada um furacão.

Winifred foi a mulher mais cheia de vida que conheci em minha juventude, então, certo dia, buscando inspiração, perguntei a ela: "Qual o melhor livro que você já leu?".

"Ah, querida", ela respondeu, "nunca poderia me restringir a um só livro. Há tantos livros que são importantes para mim. Mas posso lhe dizer qual é meu *assunto* preferido. Dez anos atrás, comecei a estudar a história da antiga Mesopotâmia, que se tornou minha paixão. E vou lhe dizer uma coisa: *isso mudou completamente minha vida*".

Para mim, aos 25 anos, ouvir uma viúva de noventa dizer que sua vida havia mudado graças a uma paixão (e tão recente!) foi uma revelação.

Foi um daqueles momentos em que eu podia quase *sentir* minha visão se expandindo, como se minha mente estivesse se abrindo e acolhendo várias novas possibilidades de vida que uma mulher pode ter.

Porém, conforme fui descobrindo mais a respeito da paixão de Winifred, o que mais me impressionou foi que ela tivesse se tornado uma especialista reconhecida em história da antiga Mesopotâmia. Afinal de contas, tinha dedicado àquela área de estudo toda uma década de vida. E se você se dedica a *qualquer coisa* de modo diligente durante dez anos acaba se tornando um especialista. (Esse é o tempo que seria necessário para fazer dois mestrados e um doutorado.) Ela havia visitado o Oriente Médio e participado de várias escavações arqueológicas, tinha aprendido escrita cuneiforme, ficara amiga dos maiores estudiosos e curadores do assunto e nunca perdia nenhuma exposição ou palestra que fosse realizada em Nova York a respeito do tema. As pessoas procuravam Winifred em busca de respostas sobre a antiga Mesopotâmia, porque agora *ela* era a autoridade.

Eu era uma jovem recém-saída da faculdade. Ainda havia uma parte tola e limitada de minha imaginação que acreditava que minha educação estava concluída porque a Universidade de Nova York havia me conferido um diploma. Conhecer Winifred, no entanto, me fez perceber que nossa educação não termina quando *eles* nos dizem que terminou; termina quando *nós* dizemos que terminou. E Winifred — quando era apenas uma garotinha de oitenta anos — decidira com firmeza: *ainda não terminou.*

Então quando é que você pode começar a correr atrás de uma vida mais criativa e apaixonada?

Pode começar quando decidir.

O balde vazio

Continuei trabalhando.

Continuei escrevendo.

Meu trabalho continuou não sendo publicado, mas isso não me importava, pois estava me *educando.*

O maior benefício de meus anos de trabalho solitário e disciplinado foi que comecei a reconhecer os padrões emocionais da criatividade — ou, melhor, comecei a reconhecer *meus* padrões. Passei a ver que havia ciclos psicológicos em meu processo criativo e que esses ciclos eram sempre muito parecidos.

"Ah", aprendi a dizer quando inevitavelmente começava a me desanimar de um projeto apenas algumas semanas após o ter iniciado cheia de entusiasmo. "Esta é a parte do processo em que eu gostaria de nunca ter decidido me dedicar a essa ideia. Eu me lembro disso. Sempre passo por essa fase."

Ou: "Esta é a parte em que digo a mim mesma que nunca mais vou escrever uma frase decente".

Ou: "Esta é a parte em que fico me criticando por ser uma preguiçosa inútil".

Ou: "Esta é a parte em que começo a ficar apavorada, imaginando que as críticas serão péssimas — se este negócio for publicado algum dia".

Ou, depois de terminar o projeto: "Esta é a parte em que entro em pânico, achando que nunca mais vou conseguir produzir nada".

Após anos de trabalho e dedicação, contudo, descobri que, se continuasse com o processo e não entrasse em pânico, podia superar com segurança cada estágio de ansiedade e passar para o nível seguinte. Tentava me encorajar com lembretes de que esses medos eram reações humanas completamente naturais à interação com o desconhecido. Quando conseguia me convencer de que devia de fato estar ali — de que somos *destinados* a colaborar com a inspiração e a inspiração *quer* trabalhar conosco —, normalmente conseguia superar meu campo minado emocional sem explodir antes de terminar o projeto.

Nesses momentos, podia quase ouvir a criatividade falando comigo enquanto me deixava levar pelo medo e pela dúvida.

Fique comigo, ela dizia. *Volte para mim. Confie em mim.*

Decidi confiar nela.

Minha maior expressão de alegria obstinada tem sido a persistência dessa confiança.

Um comentário especialmente elegante a respeito desse instinto foi feito por Seamus Heaney, ganhador do prêmio Nobel, que afirmou que, quando se está aprendendo a escrever poesia, não se deve esperar que ela seja boa de imediato. O aspirante a poeta está constantemente descendo um balde só até a metade de um poço e voltando sem nada além de ar.

Após muitos anos de prática, explicou Heaney, "a corda inesperadamente se retesa: você mergulhou em águas que continuarão a seduzi-lo, a trazê-lo de volta. Você penetrou no reservatório de si mesmo".

O sanduíche de merda

Aos vinte e poucos anos, eu tinha um amigo que, assim como eu, também era aspirante a escritor. Lembro-me de como ele costumava mergulhar em períodos sombrios de depressão pela falta de sucesso e pela incapacidade de publicar seus trabalhos. Emburrava e se enfurecia.

"Não quero ficar sentado sem fazer nada", resmungava. "Quero que tudo isso traga algum resultado. Quero que esse se torne o meu *trabalho*!"

Mesmo na época, eu já achava que havia algo errado na atitude dele.

Veja bem, meus trabalhos também não estavam sendo publicados e eu também estava ávida. *Amaria* ter todas as coisas que ele queria: sucesso, recompensas, afirmação. Estava bastante familiarizada com decepções e frustrações. No entanto, me lembro de pensar que aprender a superar as decepções e frustrações *é parte* do trabalho de uma pessoa criativa. Parecia-me que lidar com a frustração era um aspecto fundamental do ofício de artista — talvez o aspecto *mais* fundamental. A frustração não é uma interrupção do processo criativo; a frustração *é* o processo. A parte divertida (aquela em que você tem a impressão de simplesmente não estar trabalhando) vem quando se está criando algo esplêndido, tudo está indo às mil maravilhas, todo mundo ama seu trabalho e você está nas nuvens. Mas esses momentos são raros. Você não pula de um momento maravilhoso para outro. A maneira como você se vira *entre* esses momentos maravilhosos, quando as coisas não estão indo tão bem, demonstra quanto você se dedica a sua vocação e quão bem-equipado está para as estranhas exigências da vida criativa. O verdadeiro trabalho está em conseguir manter a sanidade durante todas as fases de criação.

Recentemente, li um blog fabuloso, de um escritor chamado Mark Manson. Segundo ele, o segredo para encontrar seu propósito na vida é responder à seguinte pergunta com total honestidade: "Qual seu sabor preferido de sanduíche de merda?".

O que Manson quer dizer é que toda atividade — por mais maravilhosa, empolgante e glamorosa que possa parecer a princípio — vem com a própria variedade de sanduíche de merda, seus próprios efeitos colaterais indesejados. Como escreve Manson com profunda sabedoria: "Tudo tem seus altos e baixos". Você só precisa decidir com que tipo de baixos está disposto a lidar. Então a questão não é tanto "O que você ama fazer?", mas sim "O que você ama fazer o *suficiente* para conseguir suportar os aspectos mais desagradáveis do trabalho?".

Manson oferece a seguinte explicação: "Se você quer ser artista profissional, mas não está disposto a ver seu trabalho rejeitado centenas, talvez milhares de vezes, estará acabado antes mesmo de começar. Se quer ser um advogado figurão, mas não consegue aguentar oitenta horas de trabalho por semana, tenho más notícias para você".

Porque se você ama e quer algo o suficiente — o que quer que seja —, não se importa em comer o sanduíche de merda que vem de quebra.

Se você realmente quer ter um bebê, por exemplo, não se importará com o enjoo matinal.

Se realmente quer ser sacerdote, não se importará em escutar os problemas dos outros.

Se realmente ama fazer apresentações ao vivo, aceitará os desconfortos e inconvenientes de viver na estrada.

Se realmente quer ver o mundo, estará disposto a se arriscar a ser vítima de um batedor de carteiras em um trem.

Se realmente quer praticar patinação artística, não se importará em acordar antes do amanhecer nas manhãs frias para ir ao rinque.

Meu amigo afirmava que queria ser escritor de todo o coração, mas no final das contas não queria comer o sanduíche de merda que fazia parte do pacote. Amava escrever, sem dúvida, mas não *o suficiente* para suportar a ignomínia de não obter os resultados que queria, quando queria. Não desejava se empenhar tanto em nada que não fosse lhe garantir algum grau de sucesso material.

O que significa, em minha opinião, que só queria ser escritor de *meio* coração.

E, claro, logo acabou desistindo.

O que me deixou de olho em seu sanduíche de merda comido pela metade. Minha vontade era de perguntar: "Você ainda vai querer ou posso terminar?".

Porque eu amava tanto o trabalho, que estaria disposta até a *comer o sanduíche de merda de outra pessoa* se pudesse com isso passar mais tempo escrevendo.

Seu emprego fixo

Durante todo o tempo em que fiquei praticando para me tornar escritora, sempre tive um emprego fixo.

Mesmo depois de publicar alguns trabalhos, por via das dúvidas, não larguei meu emprego fixo. Na verdade, não larguei meu emprego (ou, para ser mais exata, *meus empregos*) nem depois de já ter escrito três livros — todos eles publicados por grandes editoras e com boas resenhas no *New York Times*. Um deles foi até indicado ao National Book Award. Para quem olhasse de fora, talvez pudesse parecer que eu já estava com a vida ganha. Mas não me arriscaria, então mantive meu emprego fixo.

Só depois de ter publicado meu quarto livro (ou seja, só depois do sucesso aberrante de *Comer, rezar, amar*) finalmente me permiti largar todos os outros trabalhos e passar a me dedicar exclusivamente a escrever livros.

Agarrei-me a essas outras fontes de renda por tanto tempo porque não queria que a responsabilidade de me sustentar se tornasse um fardo para minha escrita. Sabia que não seria uma boa ideia exigir isso dela, pois no decorrer dos anos vi muita gente assassinar a criatividade ao querer que a arte pagasse suas contas. Vi artistas enlouquecerem e acabarem sem um tostão por essa insistência em que só poderiam ser considerados verdadeiros criadores se conseguissem viver exclusivamente de sua criatividade.

E quando a criatividade lhes falha (ou seja, quando não paga as contas), ficam ressentidos, têm crises de ansiedade ou até mesmo vão à falência. E o pior de tudo: muitas vezes deixam completamente de criar.

Sempre considerei uma enorme crueldade exigir um contracheque mensal de seu trabalho criativo, como se a criatividade fosse um emprego público ou um fundo fiduciário. Olhe, se você conseguir viver confortavelmente de sua inspiração para sempre, fantástico! Esse é o sonho de todo mundo, certo? Mas não deixe que o sonho se torne um pesadelo. Responsabilidades financeiras podem exercer uma enorme pressão sobre as sutilezas e os caprichos da inspiração. Você precisa lidar com seu sustento de maneira inteligente. Alegar que é criativo demais para pensar em questões financeiras é ser infantil. E, por favor, eu lhe imploro: não se infantilize, pois isso é degradante para a alma. (Em outras palavras, embora certa inocência infantil seja algo positivo na busca da criatividade, a criancice é perigosa.)

Outras fantasias infantilizadoras incluem: o sonho de se casar por dinheiro, de herdar dinheiro, de ganhar na loteria ou de encontrar um cônjuge provedor (seja homem ou mulher) que cuide de todos os aspectos mundanos de sua vida para que você possa ficar livre para comungar com a inspiração pelo resto de seus dias em um casulo sossegado, totalmente protegido dos inconvenientes da realidade.

Fala sério.

Isto é um *mundo*, não um útero. Você pode cuidar de si mesmo e da sua criatividade ao mesmo tempo, como muitas pessoas vêm fazendo há séculos. E mais: cuidar de si mesmo traz um profundo sentimento de honra, e essa honra tem grandes repercussões sobre seu trabalho; ela o torna *mais forte*.

Além disso, talvez haja períodos em que você consiga viver de sua arte e outros em que não consiga. Isso não precisa ser encarado como uma crise; é mais do que natural em meio às constantes mudanças e incertezas da vida criativa. Ou talvez você tenha assumido um grande risco para poder seguir um sonho criativo e não tenha tido o retorno esperado, então agora precisa trabalhar para o establishment por um tempo para economizar dinheiro até chegar a hora de correr atrás de seu próximo sonho. Tudo bem. Faça o que for preciso. Mas gritar com a criatividade, dizendo "Você precisa ganhar dinheiro para me sustentar!", é quase como gritar com um gato. A criatividade não tem a menor ideia do que você está dizendo. Tudo o que você está fazendo é espantá-la com toda a barulheira e as caretas estranhas que faz enquanto grita.

Continuei trabalhando em meus empregos fixos por tanto tempo porque queria manter minha criatividade livre e segura. Tinha fontes de renda alternativas para que, quando minha inspiração não estivesse fluindo, eu pudesse tranquilizá-la, dizendo: "Não se preocupe, amiga. Não tenho pressa. Quando você estiver pronta, estarei aqui". Sempre estive disposta a dar duro para que minha criatividade pudesse correr solta. Ao fazer isso, me tornei *meu próprio* patrão; *meu próprio* cônjuge provedor.

Nem sei quantas vezes tive vontade de dizer a artistas estressados e quebrados financeiramente: "Cara, deixe de ser orgulhoso e arranje um emprego!".

Não há vergonha nenhuma em ter um emprego. Vergonha é espantar a criatividade exigindo que ela o sustente. É por isso que, sempre que alguém me diz que está largando um emprego fixo para escrever um romance, minhas mãos começam a suar um pouco. E quando um conhecido me diz que planeja sair do vermelho vendendo seu primeiro roteiro, a primeira coisa que me vem à cabeça é: *Iiihh*.

Sim, escreva seu romance! Tente vender o roteiro! Espero de todo o coração que a sorte bata à sua porta e o cubra de sucesso. Mas não conte com o retorno, eu lhe imploro, pois ele é raríssimo. Além disso, é bem possível que você acabe de vez com sua criatividade se lhe impuser um ultimato assim tão duro.

Você pode muito bem fazer sua arte e continuar trabalhando no seu ganha-pão. Foi o que fiz enquanto escrevia três livros. E se não fosse pelo sucesso insano de *Comer, rezar, amar* ainda estaria fazendo a mesma coisa agora. Era o que Toni Morrison fazia quando acordava às cinco da manhã para trabalhar em seus romances antes de pegar no batente no mundo editorial, onde tinha seu emprego fixo. Era também o que J. K. Rowling fazia quando era uma mãe solteira em dificuldades financeiras, lutando para sustentar a família e ao mesmo tempo escrever. Era o que minha amiga Ann Patchett fazia quando trabalhava como garçonete no TGI Fridays e escrevia nas horas vagas. É o que faz um casal de conhecidos meus — ambos ilustradores, ambos com empregos em tempo integral — que acorda toda manhã uma hora antes dos filhos e se senta para desenhar no ambiente tranquilo de seu pequeno estúdio.

Essas pessoas não fazem esse tipo de coisa porque têm tempo e energia de sobra, mas porque consideram a criatividade tão importante que estão dispostas a fazer todo tipo de sacrifícios por ela.

Com exceção dos membros da alta aristocracia, isso é o que *todo mundo* faz.

Pinte seu boi

Durante boa parte da história da humanidade, portanto, a grande maioria das pessoas produziu arte em momentos roubados, usando retalhos de tempo emprestado e, muitas vezes, ainda por cima, com materiais furtados ou descartados. (Nas maravilhosas palavras do poeta irlandês Patrick Kavanagh: "Está vendo ali / Um esplendor criado / Por um só indivíduo / A partir de resíduos".)

Certa vez, encontrei um homem na Índia que não tinha nada de valor além de um boi com dois belos chifres. Para celebrar o boi, o homem havia pintado um dos chifres de rosa-shocking e o outro de azul-turquesa. Depois colou sininhos na ponta de cada chifre, para que, quando o animal balançasse a cabeça, seus chifres coloridos fizessem um alegre barulhinho tilintante.

Esse homem trabalhador, que tinha sérias dificuldades financeiras, só possuía um bem de valor, mas o havia enfeitado ao máximo, usando os materiais que conseguira arranjar: um pouco de tinta para parede, um tiquinho de cola e uns sinos. Graças a sua criatividade, agora tinha o boi mais interessante da cidade. Mas para quê? Ora, por que não? Porque um boi decorado é melhor do que um boi não decorado, obviamente! (Prova disso é que, onze anos depois, o único animal de que me lembro claramente ter visto durante minha visita àquela aldeiazinha indiana é aquele boi magnificamente adornado.)

Seria esse então o ambiente ideal para se criar — precisando fazer arte a partir de "resíduos" e quando sobra tempo? Provavelmente não. Ou talvez não seja de todo mau. Talvez não importe, pois é assim que as coisas sempre foram feitas. A maioria das pessoas nunca tem tempo, recursos, apoio ou recompensas suficientes... e ainda assim persistem em criar. Persistem porque sua vocação é criar, qualquer que seja o custo.

Dinheiro ajuda, claro. Mas se dinheiro fosse a única coisa necessária para que as pessoas levassem vidas mais criativas, os super-ricos seriam os pensadores mais imaginativos, produtivos e originais entre nós, e esse simplesmente não é o caso. Os ingredientes essenciais para a criatividade continuam sendo exatamente os mesmos para todo mundo: coragem, encantamento, permissão, persistência, confiança. E esses elementos são acessíveis a todos. O que não quer dizer que uma vida criativa seja sempre fácil; apenas que é sempre *possível*.

Li uma carta de cortar o coração que Herman Melville escreveu a seu grande amigo Nathaniel Hawthorne, reclamando que não conseguia encontrar tempo para trabalhar em seu livro sobre aquela baleia porque "as circunstâncias estão sempre me puxando para um lado ou para outro". Melville afirma que gostaria de ter um longo período livre para criar (ao qual se refere como "o estado de calma, de imperturbabilidade, do crescer silencioso da grama, em que um homem sempre *deveria* compor"), mas que esse tipo de luxo simplesmente não lhe é possível. Estava acabado, estressado e não conseguia encontrar tempo para escrever em paz.

Não conheço nenhum artista (bem-sucedido ou não, amador ou profissional) que não gostaria de ter esse tipo de tempo. Não conheço nenhuma alma criativa que não sonhe com dias de calma e tranquilidade durante os quais possa trabalhar sem interrupção enquanto a grama cresce em silêncio. De alguma forma, porém, isso é algo que ninguém parece conseguir alcançar. Ou, se o alcançam (por meio de uma bolsa, por exemplo, da generosidade de um amigo ou de uma residência artística), o idílio é apenas temporário. Depois a vida sempre volta correndo. Mesmo as pessoas criativas mais bem-sucedidas que conheço reclamam de nunca terem *todo o tempo* de que precisam para dedicar à exploração criativa onírica e livre de pressões. As demandas da realidade estão constantemente batendo à porta e as perturbando. Talvez em algum outro planeta ou em outra vida esse tipo de ambiente de trabalho paradisíaco de fato exista, mas aqui na Terra ele é bastante raro.

Melville, por exemplo, nunca teve esse tipo de ambiente.

Ainda assim, conseguiu de alguma forma escrever *Moby Dick*.

Tenha um caso

Por que as pessoas persistem em criar, mesmo sendo algo difícil, inconveniente e muitas vezes sem retorno financeiro?

Persistem porque são apaixonadas.

Persistem porque sentem tesão por sua vocação.

Deixe-me explicar o que quero dizer com *tesão*.

Sabe como aquelas pessoas que têm casos extraconjugais sempre conseguem arranjar tempo para encontrar os amantes para sessões de sexo selvagem, transgressor? O fato de trabalharem longas horas e de terem famílias para sustentar não parece ser um problema; ainda assim conseguem arrumar tempo para dar suas escapadas, independentemente das dificuldades, dos riscos e dos custos. Mesmo que só tenham quinze minutos juntos na escada, aproveitam o pouco tempo para transar loucamente. (Na verdade, o fato de só terem quinze minutos juntos faz com que o tesão aumente ainda mais.)

Quando estão tendo um caso, as pessoas não se importam em perder horas de sono ou pular refeições. Fazem todos os sacrifícios necessários e superam quaisquer obstáculos para poderem estar sozinhas com o objeto de sua devoção e obsessão, *porque é importante para elas*.

Permita-se apaixonar-se assim por sua criatividade e veja o que acontece.

Pare de tratar a criatividade como se fosse um casamento antigo, triste e cansado (algo maçante, uma aporrinhação) e comece a enxergá-la com os olhos de um amante apaixonado. Mesmo que só tenha quinze minutos por dia em uma escadaria sozinho com a criatividade, aproveite. Vá se esconder na escada e trocar amassos com sua arte! (Como qualquer adolescente malandro pode confirmar, quinze minutos é tempo suficiente para trocar muitos amassos.) Dê uma escapada e tenha um caso com seu eu mais criativo. Minta para todo mundo sobre aonde está indo de fato durante seu intervalo de almoço. Finja que vai fazer uma viagem de negócios quando, na verdade, está se recolhendo em segredo para pintar, escrever poesia ou planejar sua futura fazenda de cogumelos orgânicos. O que quer que esteja fazendo, esconda da família e dos amigos. Dê um jeito de escapulir de todo mundo durante a festa e vá dançar sozinho com suas ideias no escuro. Acorde no meio da noite para poder ficar só com sua inspiração enquanto ninguém está observando. Você não precisa desse tempo de sono agora; pode abrir mão dele.

De que mais você está disposto a abrir mão para poder ficar sozinho com sua amada?

Não pense em tudo isso como um fardo, mas sim como algo extremamente *sexy*.

Tristram Shandy intervém

Tente também se apresentar à sua criatividade como alguém sexy, alguém com quem vale a pena passar o tempo. Sempre amei isso no romance *A vida e as opiniões do cavalheiro Tristram Shandy*, escrito pelo britânico Laurence Sterne, ensaísta, romancista e homem de sociedade do século XVIII. No romance, Tristram fazia algo que, para mim, é uma maravilhosa cura para o bloqueio criativo: vestia suas roupas mais elegantes e assumia ares principescos, atraindo assim ideias e inspirações graças a sua fabulosa aparência.

Mais especificamente, eis o que Tristram alegava fazer quando se sentia "estúpido" e bloqueado, quando os pensamentos "erguiam-se pesadamente e passavam como goma [por sua] pena": em vez de ficar lá sentado, deprimido, olhando para a folha em branco, pulava da cadeira, pegava uma lâmina nova e se barbeava. ("Como Homero conseguia escrever com uma barba tão longa, não faço ideia.") Em seguida, empreendia uma elaborada transformação: "Troco minha camisa, ponho um casaco melhor, mando buscar minha peruca mais nova, ponho no dedo meu anel de topázio e, em resumo, me visto da cabeça aos pés da maneira mais elegante possível".

Assim, vestido de forma impecável, Tristram se pavoneava pelo aposento, apresentando-se ao universo da criatividade da maneira mais atraente possível, como um galante pretendente e um sujeito confiante. Um truque encantador, sem dúvida, mas o melhor de tudo é que de fato funcionava. De acordo com Tristram, "basta que um homem se vista para que suas ideias se vistam ao mesmo tempo; e se ele se veste como um cavalheiro, cada uma delas se apresenta à sua imaginação".

Sugiro que você tente esse truque em casa.

Eu mesma já o experimentei algumas vezes, quando estou me sentindo especialmente desleixada e inútil e quando percebo que minha criatividade está se escondendo de mim. Vou até o espelho e digo com firmeza: "É claro que a criatividade está se escondendo, Elizabeth! Olhe só para você!".

Então me dou um trato. Tiro o pijama que estou usando há dias, aquele maldito elástico do cabelo oleoso e tomo um banho. Não faço a barba, claro, mas pelo menos depilo as pernas. Visto uma roupa limpa, escovo os dentes e lavo o rosto. Ponho até batom (e olhe que eu *nunca* uso batom!). Removo o entulho da escrivaninha, abro a janela e às vezes acendo uma vela perfumada. De vez em quando até ponho perfume! Não costumo usar perfume nem para sair para jantar, mas abro uma exceção para tentar seduzir a criatividade e trazê-la de volta para o meu lado. (Segundo Coco Chanel, "uma mulher que não usa perfume não tem futuro".)

Tento sempre me lembrar de que estou tendo um caso com minha criatividade. Faço um esforço para me apresentar à inspiração como alguém para quem você olharia e pensaria: *Eu teria um caso com ela*; não como alguém que está andando pela casa a semana inteira com as cuecas samba-canção do marido porque se entregou totalmente. Eu me arrumo da cabeça aos pés (assim com Tristram Shandy) e volto à minha tarefa. Sempre funciona. Juro por Deus. Se tivesse uma peruca empoada como a de Tristram, também a usaria eventualmente.

O truque é fingir até conseguir.

Em outras palavras, vista-se de acordo com o romance que *quer* escrever.

Seduza a Grande Magia e ela sempre voltará para você, assim como um corvo se sente atraído por objetos brilhantes.

Medo de salto alto

Fui apaixonada por um homem — na minha opinião, um escritor muito mais talentoso do que eu — que aos vinte e poucos anos decidiu desistir de tentar ser autor porque seus trabalhos nunca saíam tão primorosos no papel quanto os imaginava em sua cabeça. Considerava tudo aquilo frustrante demais. Não queria macular o ideal resplandecente que tinha em mente pondo no papel uma versão menos elegante.

Enquanto eu ralava para produzir meus contos desajeitados e decepcionantes, aquele jovem brilhante se recusava a escrever uma palavra sequer. Tentou até me deixar com vergonha de estar tentando escrever: os terríveis resultados não me doíam, não me ofendiam? Queria dar a entender com isso que possuía um senso de discernimento artístico mais puro do que o meu. A exposição a imperfeições — mesmo as próprias imperfeições — feria-lhe a alma. Sentia haver nobreza em sua escolha de nunca escrever um livro se não pudesse escrever um grande livro.

"Prefiro ser um belo fracasso a um sucesso deficiente", dizia.

Pois eu não.

A imagem do artista trágico que abandona suas ferramentas para não ficar aquém de seus impecáveis ideais não tem o menor romantismo para mim. Não vejo esse caminho como heroico. Acho que é muito mais honroso continuar no jogo — mesmo que se esteja de fato perdendo — do que pedir licença para sair a fim de não ferir sua delicada sensibilidade. No entanto, para permanecer no jogo, você precisa abandonar suas fantasias de perfeição.

Então vamos falar um pouco sobre perfeição.

O grande romancista americano Robert Stone disse certa vez, brincando, que possuía os dois piores defeitos imagináveis para um escritor: era preguiçoso e perfeccionista. De fato, esses são os ingredientes essenciais para a inércia e o sofrimento. Se quiser ser feliz em sua vida criativa, não cultive nenhuma dessas duas características. Pelo contrário, aprenda a ser um criador meia-boca profundamente disciplinado.

A primeira coisa a fazer é esquecer a perfeição. Não temos tempo para a perfeição. De qualquer forma, ela é inatingível: é um mito, uma armadilha, uma roda de hamster que vai fazê-lo correr até morrer. Como resumiu muito bem a escritora Rebecca Solnit: "Muitos de nós acreditam na perfeição, o que estraga todo o resto, pois o perfeito não é inimigo somente do que é bom, mas também do que é realista, possível e divertido".

O perfeccionismo impede as pessoas de terminarem seus trabalhos e, o que é ainda pior, muitas vezes as impede de *começarem* seus trabalhos. Perfeccionistas com frequência decidem de antemão que o produto final nunca será satisfatório, então nem se dão ao trabalho de começar a criar.

Porém, a artimanha mais diabólica do perfeccionismo é se disfarçar de virtude. Em entrevistas de emprego, por exemplo, as pessoas anunciam seu perfeccionismo como se fosse sua maior qualidade, orgulhando-se exatamente daquilo que as está impedindo de aproveitar ao máximo seu comprometimento com a vida criativa. Exibem o perfeccionismo como uma medalha de honra, como se fosse uma prova de seus gostos apurados e padrões refinados.

Minha opinião, contudo, é outra. Para mim, o perfeccionismo é apenas uma versão de luxo, *haute couture,* do medo. Acho que o perfeccionismo não passa do medo usando sapatos chiques e um casaco de vison, fingindo ser elegante quando, na verdade, está simplesmente apavorado. Pois debaixo daquela fachada brilhante, o perfeccionismo nada mais é do que um profundo mal-estar existencial que afirma repetidamente: "Não sou bom o suficiente nem nunca serei".

O perfeccionismo é uma isca particularmente maléfica para as mulheres, que, a meu ver, se impõem padrões de desempenho ainda mais altos do que os homens. Há muitas razões pelas quais as vozes e os pontos de vista das mulheres não são mais amplamente representados nos campos criativos hoje em dia. Parte dessa exclusão se deve à boa e velha misoginia, mas também é verdade que — muito frequentemente — as próprias mulheres se abstêm de participar. Abstêm-se de compartilhar suas ideias, suas contribuições, sua liderança e seus talentos. Muitas mulheres ainda parecem acreditar que não têm direito a se pôr em evidência a menos que elas e seus trabalhos sejam perfeitos e estejam acima de qualquer tipo de crítica.

Por outro lado, apresentar trabalhos que estão longe de ser perfeitos *raramente impede os homens* de participar do diálogo cultural global. (Estou só comentando...) E, aliás, não digo isso como uma crítica aos homens. *Gosto* dessa característica deles: sua absurda autoconfiança, a maneira como decidem casualmente: "Bem, sou 41% qualificado para esse trabalho, então pode me dar o emprego!". Sim, às vezes os resultados são ridículos e desastrosos, mas às vezes, estranhamente, funciona. Às vezes um homem que parece não estar pronto para a tarefa, não ser bom o suficiente para ela, de alguma forma desenvolve imediatamente seu potencial só pelo fato de ter dado um voto de confiança a si mesmo.

Gostaria que mais mulheres assumissem o risco de dar a si mesmas esses votos de confiança.

No entanto, já vi muitas fazerem o oposto. Já vi muitas criadoras brilhantes e talentosas dizerem: "Sou 99,8% qualificada para esse trabalho, mas, até ter dominado aquela última gota de competência, vou me abster, por via das dúvidas".

Não faço *a menor ideia* de onde as mulheres tiraram essa noção de que precisam ser perfeitas para serem amadas ou bem-sucedidas. (Rá rá rá! Brincadeirinha! É claro que sei de onde tiramos essa noção: *de absolutamente todas as mensagens que sempre nos foram transmitidas pela sociedade*! Muito obrigada, história da humanidade!) Mas nós, mulheres, precisamos abandonar esse hábito, e isso é algo que só nós podemos fazer. Precisamos entender que a busca da perfeição é uma nociva perda de tempo, pois nada jamais estará imune a críticas. Não importa quantas horas você tenha gastado tentando deixar alguma coisa impecável, alguém sempre conseguirá encontrar uma falha. (Há gente por aí que ainda considera as sinfonias de Beethoven um pouco, digamos, *barulhentas*.) Em determinado ponto, você precisa terminar seu trabalho e lançá-lo da maneira que está. Ainda que seja apenas para ficar livre para fazer outras coisas com o coração alegre e determinado.

O que é a verdadeira razão de tudo isso.

Ou deveria ser.

Marco Aurélio intervém

O diário de Marco Aurélio, imperador romano do século II, me serve de inspiração há anos. O sábio imperador filósofo nunca escreveu suas meditações com a intenção de que fossem publicadas, mas fico feliz por terem sido. Para mim é um estímulo ver esse homem brilhante, 2 mil anos atrás, tentando manter sua motivação para ser criativo, corajoso e curioso. Suas frustrações e seus autoelogios soam incrivelmente contemporâneos (ou talvez apenas eternos e universais). Podemos ouvi-lo lidando com as mesmas questões com as quais todos precisamos lidar na vida: *Por que estou aqui? Qual é meu propósito? Como estou criando obstáculos para mim mesmo? Qual é a melhor maneira de realizar meu destino?*

Gosto especialmente de ver Marco Aurélio lutar contra seu perfeccionismo para voltar a escrever, quaisquer que sejam os resultados. "Faz agora o que a natureza requer", escreve a si mesmo. "Começa, se deixam, e não olha em torno a ver se alguém o saberá. Não espera *A República* de Platão; satisfaz-se com um progresso ainda que mínimo; considera que não é pouca coisa o resultado desse progresso."

Pelo amor de Deus, me diga que não sou a única a achar cativante e animador o fato de que um lendário filósofo romano precisava se tranquilizar dizendo a si mesmo que *não há problema em não ser Platão*.

Sério, Marco, não há problema nenhum!

Continue trabalhando.

Pelo mero ato de criar algo — qualquer coisa — você pode acabar produzindo uma obra magnífica, eterna ou importante (como fez Marco Aurélio, no fim das contas, com suas *Meditações*). Por outro lado, talvez isso não aconteça. Mas se sua vocação é produzir, precisa continuar produzindo mesmo assim, para poder viver seu potencial criativo ao máximo — e também para se manter são. Afinal, ter uma mente criativa é como ter um cão pastor como animal de estimação: ele precisa se exercitar, do contrário vai lhe causar uma quantidade escandalosa de problemas. Dê a sua mente um trabalho a fazer ou ela acabará encontrando um, e você pode não gostar do trabalho inventado por ela (comer o sofá, cavar um buraco na sala de estar, morder o carteiro etc.). Levei anos para aprender isso, mas cheguei à conclusão de que se não estou ativamente criando algo, é provável que esteja ativamente destruindo algo (a mim mesma, um relacionamento ou minha paz de espírito).

Acredito piamente que precisamos todos encontrar algo para fazer na vida que nos impeça de comer o sofá. Quer façamos disso uma profissão ou não, precisamos de uma atividade que vá além do trivial e que nos leve além dos papéis convencionais e limitadores que desempenhamos na sociedade (mãe, funcionário, vizinho, irmão, chefe etc.). Todos precisamos de algo que ajude a nos esquecermos de nós mesmos por um tempo — esquecer momentaneamente nossa idade, nosso sexo, nossa origem socioeconômica, nossos deveres, fracassos e tudo que perdemos e estragamos. Precisamos de algo que nos leve além de nós mesmos a ponto de nos fazer esquecer de comer, de fazer xixi, de aparar a grama, de guardar rancor de inimigos, de ficar ruminando inseguranças. A oração pode fazer isso por nós, assim como o serviço comunitário, o sexo, exercícios físicos e até o abuso de substâncias químicas (embora com terríveis consequências). Mas a vida criativa também pode. Talvez a maior bênção da criatividade seja esta: ao absorver nossa atenção por um período curto e mágico, consegue nos aliviar temporariamente do terrível fardo de sermos quem somos. E o melhor de tudo é que, ao fim de sua aventura criativa, você terá um suvenir, algo que você *fez*, algo para lembrá-lo para sempre de seu encontro breve, porém transformador, com a inspiração.

É isto que meus livros são para mim: suvenires de viagens que fiz, nas quais consegui (abençoadamente) escapar de mim mesma por um tempo.

Um estereótipo persistente da criatividade é o de que ela enlouquece as pessoas. Discordo. *Não expressar* a criatividade é que enlouquece as pessoas. ("Aquilo que tendes vos salvará se o manifestardes. Aquilo que não tendes em vosso interior vos matará se não o tiverdes dentro de vós." — Evangelho de Tomé.) Manifeste, portanto, o que tem dentro de si, quer seja bem-sucedido ou fracasse. Faça-o, quer o produto final (seu suvenir) seja uma porcaria ou um tesouro, independentemente de ser amado ou odiado pelos críticos (ou os críticos simplesmente nunca ouvirem falar em você). Faça-o, quer as pessoas entendam ou não.

Não precisa ser perfeito e você não precisa ser Platão.

Tudo não passa de um instinto, um experimento, um mistério; então comece.

Comece onde quer que esteja. De preferência, agora mesmo.

E se a grandeza acidentalmente tropeçar em você, que ela o encontre empenhado em seu trabalho.

Empenhado e mentalmente são.

Ninguém está pensando em você

Há muito tempo, quando tinha meus vinte e poucos anos e era ainda bastante insegura, conheci uma mulher inteligente, independente, criativa e poderosa já na casa dos setenta, que me ofereceu um sábio conselho de vida.

"Passamos a faixa dos vinte, trinta anos", ela me disse, "fazendo um esforço enorme para tentar ser perfeitos, porque nos preocupamos demais com o que os outros pensam de nós. Então chegamos aos quarenta, cinquenta e finalmente começamos a ser livres, pois decidimos que não estamos nem aí para o que pensam de nós. Mas você não vai ser completamente livre até chegar aos sessenta, setenta, quando finalmente compreenderá esta verdade libertadora: *ninguém nunca esteve pensando em você, de qualquer forma.*"

Não estão. Não estavam. Nunca estiveram.

Na maior parte do tempo, as pessoas só estão pensando em si mesmas. Não têm tempo para se preocupar com o que você está fazendo ou se está fazendo bem, porque estão absortas nos próprios dramas. A atenção das pessoas pode se voltar para você por um momento (se você tiver um sucesso ou um fracasso público fenomenal, por exemplo), mas logo se voltará para onde sempre esteve: *nelas mesmas*. Embora a princípio possa parecer terrível e solitário imaginar que você não é a prioridade de ninguém, essa ideia pode ser incrivelmente libertadora. Você é livre, pois todo mundo está ocupado demais consigo mesmo para se preocupar com você.

Então vá ser quem quiser.

Faça o que quiser.

Dedique-se àquilo que o fascina e lhe dá vida.

Crie o que quiser criar e permita que seja estupendamente imperfeito, pois é muito provável que ninguém vá perceber.

E isso é *o máximo*!

Feito é melhor do que perfeito

A única razão pela qual pude persistir em terminar meu primeiro romance foi permitir que ele fosse estupendamente imperfeito. Esforcei-me para continuar escrevendo, ainda que desaprovasse com veemência o que estava produzindo. Aquele livro estava tão longe de ser perfeito que me levava à loucura. Lembro-me de ficar andando de um lado para outro no quarto durante os anos em que trabalhei nele, tentando criar coragem para voltar àquele manuscrito apagado todos os dias, apesar de sua péssima qualidade, relembrando-me desta promessa: "Nunca jurei ao universo que seria uma *grande* escritora, caramba! Só jurei que seria *escritora*!".

Depois de ter escrito 75 páginas, quase parei. Parecia terrível demais para continuar, constrangedor demais. Mas consegui superar meu constrangimento simplesmente porque decidi que *me recusava* a chegar ao fim da vida com um manuscrito inacabado de 75 páginas mofando na gaveta. Não queria ser essa pessoa. O mundo já está cheio de manuscritos inacabados, e eu não queria acrescentar mais um a essa pilha infindável. Então, independentemente de considerar meu trabalho uma porcaria, tinha que persistir.

Também fiquei me lembrando do que minha mãe costumava dizer: "Feito é melhor do que perfeito".

Ouvi aquele simples ditado da minha mãe ser repetido inúmeras vezes durante a infância e a adolescência. E não porque Carole Gilbert fosse preguiçosa. Pelo contrário, era incrivelmente trabalhadora e eficiente. Porém, acima de tudo, era pragmática. Afinal de contas, o dia tem um número limitado de horas, um ano tem um número limitado de dias e a vida, um número limitado de anos. Temos que fazer o possível, da maneira mais competente que conseguirmos, em um espaço de tempo limitado, depois largar de mão. Quer se tratasse de lavar a louça ou de embrulhar presentes de Natal, minha mãe seguia o raciocínio do general George Patton: "Um bom plano executado à força agora é melhor do que um plano perfeito executado na semana que vem".

Ou, parafraseando: um romance bom o bastante escrito à força agora é melhor do que um romance perfeito meticulosamente nunca escrito.

Também acho que minha mãe entendia esta noção radical: de que a mera conclusão é por si só um feito bastante honroso. Além disso, é um feito raro. Pois a verdade é que a maioria das pessoas não termina as coisas! Olhe em volta, as provas estão por todos os lados: *as pessoas não terminam as coisas*. Iniciam projetos ambiciosos com as melhores intenções, mas acabam ficando atoladas em um lamaçal de inseguranças, dúvidas e ninharias... e param.

Então, se puder concluir alguma coisa, conclua! Só com isso você já estará quilômetros à frente da maioria.

Em outras palavras, talvez você queira que seu trabalho seja perfeito; pois eu só quero concluir o meu.

Em defesa das casas tortas

Poderia me sentar com você agora mesmo para analisar cada um de meus livros, página por página, e lhe dizer tudo o que há de errado com eles. Seria uma tarde incrivelmente chata tanto para mim quanto para você, mas eu poderia fazê-lo. Poderia lhe mostrar tudo o que escolhi não consertar, mudar ou melhorar e todas as coisas com que preferi não me estressar. Poderia lhe mostrar todos os atalhos que tomei quando não consegui encontrar uma maneira mais elegante de resolver um problema narrativo complexo. Poderia lhe mostrar personagens que matei por não saber o que mais fazer com eles. Poderia lhe mostrar lacunas na lógica e falhas nas pesquisas. Poderia lhe mostrar todo tipo de fita adesiva e remendo que utilizei para impedir que esses projetos caíssem aos pedaços.

No entanto, para economizar tempo, lhe darei apenas um exemplo representativo. Em meu romance mais recente, *A assinatura de todas as coisas*, há uma personagem lamentavelmente subdesenvolvida. Ela é de uma improbabilidade vergonhosa (a meu ver, pelo menos) e sua presença é pouco mais do que uma conveniência de enredo. No fundo, eu sabia — embora eu mesma a estivesse escrevendo — que não tinha acertado nessa personagem, mas não pude descobrir como melhorá-la, como deveria ter feito. Esperava conseguir me safar. Às vezes conseguimos sair impunes desse tipo de coisa. Esperava que ninguém fosse notar. Contudo, quando entreguei meu livro, ainda em formato de manuscrito, a alguns de meus primeiros leitores, todos apontaram o problema com a personagem.

Pensei em tentar corrigi-lo, mas o trabalho que teria para voltar e consertar aquela única personagem não traria um retorno à altura. Para começar, precisaria acrescentar entre cinquenta e setenta páginas a um manuscrito que já tinha mais de setecentas, e em determinado momento é preciso ter misericórdia dos leitores e fazer cortes. Também senti que seria arriscado demais. Para resolver o problema dessa personagem, teria que desmantelar todo o romance até os capítulos iniciais e começar tudo de novo. Temia que, ao reconstruir a história de maneira tão radical, pudesse acabar destruindo um livro que já estava feito e já era *bom o suficiente*. Seria como se um marceneiro destruísse uma casa já terminada e a recomeçasse do zero por ter percebido, no finzinho do projeto de construção, que havia um erro de alguns centímetros nos alicerces. Certo, no fim da segunda construção talvez os alicerces estivessem mais retos, mas o charme da estrutura original poderia ter sido destruído e meses de trabalho teriam sido perdidos.

Decidi então não consertar a personagem.

Em resumo, tinha trabalhado de forma incansável naquele romance durante quatro anos, empenhado uma enorme quantidade de esforço, amor e fé, e, basicamente, gostava dele do jeito que estava. É verdade, tinha ficado um pouquinho torto, mas as paredes eram firmes, o teto, seguro, e todas as janelas funcionavam. De qualquer forma, não me importo muito em morar em uma casa torta. (Cresci em uma casa torta; não são tão ruins assim.) Senti que meu romance era um produto final interessante — talvez até mais interessante graças a seus ângulos levemente oblíquos —, então deixei para lá.

E sabe o que aconteceu quando expus meu livro reconhecidamente imperfeito ao mundo?

Não muito.

A Terra não saiu do eixo. Os rios não começaram a correr para trás. Os pássaros não caíram mortos no chão. Recebi algumas críticas boas, algumas ruins e algumas indiferentes. Certas pessoas amaram *A assinatura de todas as coisas*, outras não. Um encanador que veio consertar a pia da cozinha outro dia viu o livro sobre a mesa e comentou: "Posso lhe dizer agora mesmo, dona, que esse livro não vai vender — não com *esse título*". Algumas pessoas gostariam que o romance fosse mais curto; outras, que fosse mais longo. Certos leitores queriam que a história tivesse mais cachorros e menos masturbação. Uns poucos críticos observaram aquela personagem mal-desenvolvida, mas ninguém pareceu se incomodar muito com ela.

Em suma: um monte de gente teve algum tipo de opinião sobre o romance por um curto período, depois todo mundo seguiu adiante, porque as pessoas são ocupadas e precisam cuidar das próprias vidas. Porém, tive uma experiência intelectual e emocional eletrizante escrevendo *A assinatura de todas as coisas* e guardarei comigo os méritos dessa aventura criativa para sempre. Aqueles quatro anos da minha vida foram maravilhosamente bem gastos. Quando terminei o romance, não era perfeito, mas ainda assim senti que era o melhor trabalho que já tinha produzido e que eu era então uma escritora muito melhor do que quando o havia começado. Não trocaria um minuto sequer daquela experiência por nada no mundo.

Mas depois de terminar aquele trabalho era hora de voltar a atenção para algo novo; algo que um dia também estaria *bom o suficiente* para ser lançado. Foi assim que sempre fiz e é assim que continuarei fazendo enquanto puder.

Pois esse é o hino da minha gente.

Essa é a *Canção do criador meia-boca disciplinado*.

Sucesso

Durante todos aqueles anos que passei dando um duro danado em meus dois empregos fixos e ainda encontrando tempo para me dedicar à escrita, sabia que não havia nenhuma garantia de que alguma coisa daquilo funcionaria.

Sempre soube que poderia não conseguir o que desejava, que poderia nunca me tornar uma autora publicada. Nem todo mundo alcança uma posição confortável de sucesso no mundo das artes. A maioria não consegue isso. E embora eu sempre tenha acreditado no pensamento mágico, nunca fui ingênua a ponto de achar que simplesmente desejar o sucesso faria com que ele acontecesse. Ter talento pode não ser suficiente para que aconteça. Dedicação pode não ser suficiente. Até incríveis contatos profissionais — que, em todo caso, eu não tinha — podem não ser suficientes.

A vida criativa é mais estranha do que outras atividades mais mundanas. As regras comuns não se aplicam. Na vida normal, se você é bom em alguma coisa e se esforça, é provável que alcance o sucesso. Em empreendimentos criativos, talvez não. Ou talvez você tenha sucesso por algum tempo, depois nunca mais volte a alcançá-lo. Podem lhe oferecer recompensas em uma bandeja de prata e, ao mesmo tempo, puxar seu tapete. Você pode ser adorado por um tempo, depois sair de moda. Outras pessoas menos inteligentes podem tomar seu lugar como queridinhas da crítica.

A deusa protetora do sucesso criativo às vezes parece uma senhora rica e caprichosa que mora em uma enorme mansão em uma colina distante e toma decisões estranhíssimas a respeito de quem deve receber sua fortuna. Às vezes contempla charlatões e ignora os talentosos. Exclui de seu testamento pessoas que a serviram lealmente durante toda a vida e dá uma Mercedes para aquele menino bonitinho que cortou sua grama certa vez. Muda de ideia com frequência. Tentamos descobrir seus motivos, mas eles permanecem ocultos. Nunca é obrigada a nos dar explicações. Em resumo, a deusa do sucesso criativo pode aparecer para você ou não. É melhor, então, não contar com ela nem vincular sua definição de felicidade pessoal a seus caprichos.

Talvez seja melhor reconsiderar sua definição de sucesso, e ponto final.

Pessoalmente, decidi desde cedo manter o foco na dedicação ao trabalho acima de tudo. Esse seria meu critério de autoavaliação. Sabia que o sucesso convencional dependeria de três fatores — talento, sorte e disciplina — e que dois deles nunca estariam sob meu controle. A aleatoriedade genética já havia determinado a porção de talento que me seria alocada e a aleatoriedade do destino decidiria minha sorte. A única parte sobre a qual eu tinha algum controle era minha disciplina. Reconhecendo isso, o melhor plano parecia ser trabalhar feito uma condenada. Era minha única jogada possível, então joguei com tudo.

Veja bem, trabalhar duro não garante *nada* nas áreas criativas. (Nada garante nada nas áreas criativas.) Mas não consigo deixar de acreditar que essa disciplina dedicada é a melhor abordagem. Você ama o que faz e o faz ao mesmo tempo com seriedade e leveza? Então pelo menos saberá que tentou e que — qualquer que seja o resultado — trilhou um caminho nobre.

Tenho uma amiga, aspirante a musicista, que certo dia recebeu da irmã alguns questionamentos bastante razoáveis: "O que acontece se você não conseguir tirar nada disso? E se você seguir sua paixão para sempre, mas o sucesso nunca vier? Como é que você vai se sentir tendo desperdiçado toda a sua vida por nada?".

Minha amiga deu uma resposta igualmente razoável: "Se você não consegue enxergar o que *já estou* tirando disso, nunca vou conseguir lhe explicar".

Quando é por amor, fazemos de um jeito ou de outro.

Carreira × vocação

É por essas razões (a dificuldade, a imprevisibilidade) que sempre desaconselhei as pessoas a apostarem na criatividade como uma opção de carreira. E sempre desaconselharei, pois — com raras exceções — áreas criativas costumam levar a péssimas carreiras. (Isto é, se você definir "carreira" como algo que lhe oferece um sustento financeiro justo e previsível, o que parece ser uma definição bastante razoável.)

Mesmo quando você tem sucesso no mundo das artes, é provável que certas partes de sua carreira ainda continuem sendo péssimas. Você pode não gostar de seu editor, de seu marchand, de seu baterista, de seus fãs mais agressivos ou de seus críticos. Pode se indignar por ter que responder às mesmas perguntas repetidas vezes em entrevistas. Pode se sentir constantemente irritado consigo por sempre ficar aquém de suas aspirações. Acredite: se quiser reclamar, sempre encontrará motivos, mesmo quando a sorte parecer estar a seu favor.

Mas a vida criativa pode ser uma incrível *vocação*, se você tiver o amor, a coragem e a persistência de enxergá-la dessa forma. Eu diria que essa talvez seja a única maneira de se abordar a criatividade sem perder a sanidade, pois ninguém nunca nos disse que seria fácil, e, quando decidimos levar vidas criativas, nossa única certeza é a incerteza.

Atualmente, por exemplo, todo mundo está entrando em pânico com todas as mudanças que a internet e as tecnologias digitais vêm trazendo para o mundo criativo. Todos estão preocupados com a possibilidade de que nessa volátil nova era não haja mais empregos e dinheiro disponíveis para artistas. Mas permita-me apontar que, muito antes da existência da internet e das tecnologias digitais, as carreiras artísticas já eram péssimas. Não é que em 1989 alguém tenha me dito: "Quer ganhar dinheiro? É só virar escritora". Ninguém dizia isso em 1889 ou em 1789, assim como ninguém o dirá em 2089. Mas ainda haverá pessoas querendo virar escritoras, por amor à vocação. Ainda haverá pintores, escultores, músicos, atores, poetas, diretores, costureiros, tricoteiros, ceramistas, vidreiros, ferreiros, calígrafos, colagistas, manicures, sapateadores e harpistas celtas. Ignorando todos os bons conselhos, as pessoas continuarão teimando em produzir coisas belas sem ter nenhuma razão particularmente boa para isso, como sempre aconteceu.

Às vezes é um caminho difícil? Sem dúvida.

Deixa a vida mais interessante? Mais interessante impossível.

As dificuldades e os obstáculos inevitáveis associados à criatividade farão com que você sofra? Essa parte — juro por tudo que é mais sagrado — só depende de você.

Conversa de alce

Vou lhe contar uma história sobre persistência e paciência.

Quando tinha meus vinte e poucos anos, escrevi um conto chamado "Conversa de alce". A história nasceu de uma experiência que tive quando estava trabalhando como cozinheira em um rancho no Wyoming. Certa noite, tinha ficado acordada até tarde, contando piadas e bebendo cerveja com alguns dos vaqueiros. Todos eles eram caçadores, e começamos a falar sobre os chamados dos alces: as diversas técnicas para imitar o chamado de acasalamento e atrair os animais. Um dos vaqueiros, Hank, confessou ter comprado recentemente uma fita com a gravação de chamados de alces feita pelo maior especialista no assunto em toda a história da caça aos alces, um sujeito chamado (nunca me esquecerei do nome) Larry D. Jones.

Por algum motivo — talvez graças à cerveja —, achei que aquilo era a coisa mais engraçada que já tinha escutado na vida. Fiquei encantada com a ideia de que havia alguém no mundo chamado Larry D. Jones que ganhava a vida gravando imitações de chamados de acasalamento de alces e pessoas, como meu amigo Hank, que compravam essas gravações para praticar os próprios chamados. Convenci Hank a ir buscar a fita e tocá-la para mim repetidas vezes, enquanto eu ria até ficar tonta. Não era apenas o som do chamado do alce que me parecia hilário (um guincho estridente, como o barulho de dois pedaços de isopor esfregados um contra o outro); também adorei a voz fanhosa e séria de Larry D. Jones dando longas e monótonas explicações sobre como reproduzir corretamente o chamado. Para mim, tudo aquilo era pura comédia.

Então, por algum motivo (mais uma vez, é provável que a cerveja tenha ajudado), decidi que Hank e eu deveríamos nos embrenhar na mata no meio da noite com um toca-fitas e a gravação de Larry D. Jones só para ver o que aconteceria. E foi o que fizemos. Bêbados, cambaleantes e barulhentos, fomos percorrendo aos trancos as montanhas do Wyoming. Hank carregava o toca-fitas no ombro, com o volume no máximo, e eu tropeçava de tanto rir do som alto e artificial de um alce no cio — intercalado com a voz monótona de Larry D. Jones — que ecoava à nossa volta.

Não poderíamos estar menos em sintonia com a natureza do que naquele momento, mas a natureza nos encontrou assim mesmo. De repente, ouvimos um estrondo de cascos (nunca tinha ouvido aquilo antes; é apavorante), o barulho de galhos caindo, e, então, o maior alce já visto irrompeu na clareira onde estávamos e ficou lá, sob a luz da lua, a poucos metros de nós, bufando, dando patadas no chão e sacudindo furiosamente os chifres, como quem diz: *Que macho rival ousa soar um chamado de acasalamento no meu território?*

Larry D. Jones já não parecia tão engraçado.

Ninguém nunca ficou sóbrio com tanta rapidez quanto eu e Hank naquele momento. Estávamos brincando, mas aquela fera de mais de trezentos quilos decididamente não estava para brincadeiras. Estava pronta para a guerra. Era como se estivéssemos realizando uma inofensiva sessão espírita e, sem querer, tivéssemos invocado um espírito perigoso de verdade. Estávamos brincando com forças com as quais não se deve brincar, e não éramos dignos.

Meu impulso foi de me curvar, tremendo, diante do alce e implorar misericórdia. Hank foi mais esperto: arremessou o toca-fitas o mais longe que pôde, como se o aparelho estivesse prestes a detonar (qualquer coisa para nos distanciar do falso chamado que tínhamos arrastado para dentro daquela floresta bem real). Nós nos encolhemos atrás de um pedregulho, pasmos de admiração perante o alce, que soltava nuvens de baforadas geladas, procurando furiosamente seu rival e destruindo a terra sob seus cascos. O temor que nos causou aquela criatura magnífica foi exatamente o mesmo que esperaríamos sentir ao contemplar o rosto de Deus.

Quando o alce finalmente partiu, caminhamos lentamente em direção ao rancho, nos sentindo minúsculos, abalados e demasiadamente mortais. Foi assombroso.

Então decidi escrever sobre aquilo. Não contei exatamente essa mesma história, mas queria captar aquela sensação ("humanos imaturos recebendo uma lição de humildade graças a uma aparição natural divina") e usá-la como base para escrever algo sério e intenso sobre o homem e a natureza. Queria pegar aquela eletrizante experiência pessoal e transformá-la em um conto usando personagens fictícios. Levei muitos meses para acertar na história — ou pelo menos para chegar o mais perto de acertar quanto me permitiam minha idade e minhas capacidades. Quando terminei de escrever o conto, intitulei-o "Conversa de alce" e comecei a enviá-lo a revistas, na esperança de que alguém o publicasse.

Uma das publicações para as quais enviei "Conversa de alce" foi a grande e falecida *Story*, uma revista de ficção. Muitos de meus heróis literários — Cheever, Caldwell, Salinger, Heller — tinham aparecido em suas páginas, e eu também queria fazer parte desse grupo. Algumas semanas depois, o correio entregou a inevitável carta de recusa. Mas aquela foi uma carta de recusa muito especial.

É preciso entender que esse tipo de carta contém diferentes graus de recusa, que cobrem todo o espectro da palavra *não*. A carta de recusa com um texto padrão não é a única que existe; há também aquela contendo não só o texto padrão, mas também uma minúscula nota pessoal no fim, escrita à mão por uma pessoa de verdade, dizendo algo como *Interessante, mas não é para nós*! Até essas migalhas de reconhecimento podem ser revigorantes, e, quando eu era mais jovem, toda vez que algo assim acontecia, tinha o hábito de sair me gabando com os amigos, dizendo: "Acabei de receber uma carta de recusa *incrível*".

Mas essa carta de recusa específica era da própria editora-chefe da *Story*, a respeitadíssima Lois Rosenthal. Sua resposta foi atenciosa e encorajadora. Ela escreveu que tinha gostado da história. Em geral, gostava mais de histórias sobre animais do que de histórias sobre pessoas. No entanto, achava que o final tinha deixado a desejar e, portanto, não publicaria o conto. Mas me desejou boa sorte.

Para uma autora não publicada, ser rejeitada assim, de maneira tão gentil — e pela própria editora-chefe! —, é quase como vencer o prêmio Pulitzer. Fiquei eufórica. Era, de longe, a rejeição mais fantástica que já tinha recebido. Então fiz o que costumava fazer naquela época: enviei o conto para mais uma revista para receber mais uma carta de recusa, talvez até melhor do que aquela. Porque é assim que se joga. Sempre seguindo em frente, nunca recuando.

Alguns anos se passaram. Continuei trabalhando em meus empregos fixos e escrevendo nas horas vagas. Finalmente consegui ser publicada, com um conto diferente e em outra revista. Graças a essa oportunidade, pude contratar uma agente literária profissional. Agora era minha agente, Sarah, quem enviava meus trabalhos para as editoras em meu nome. (Meus dias de ficar tirando fotocópias estavam acabados; Sarah tinha a própria copiadora!) Alguns meses depois de termos começado a trabalhar juntas, ela me telefonou para dar uma excelente notícia: "Conversa de alce" seria publicado.

"Que ótimo", eu disse. "Quem comprou?"

"A *Story*", respondeu Sarah. "Lois Rosenthal amou o conto."

Hum.

Interessante.

Alguns dias depois, conversei por telefone com a própria Lois, que foi muito simpática. Ela me disse que tinha achado "Conversa de alce" perfeito e que mal podia esperar para publicá-lo.

"Você gostou até do final?", perguntei.

"Claro!", ela disse. "Adorei o final."

Enquanto conversávamos, eu segurava nas mãos a carta de recusa que Lois me enviara alguns anos antes para o mesmo conto. Estava claro que ela não se lembrava de já ter lido "Conversa de alce" antes. Não toquei no assunto. Estava exultante por ela ter decidido publicar meu trabalho e não queria parecer desrespeitosa, desdenhosa ou ingrata. Mas, sem dúvida, estava curiosa, então perguntei: "Do que você gostou no meu conto, se não se importa de me dizer?".

"É tão evocativo", disse ela. "Tem uma atmosfera mística. Ele me lembra alguma coisa, mas não consigo determinar exatamente o quê..."

Achei melhor não dizer: "Lembra *ele mesmo*".

A bela fera

Então como podemos interpretar essa história?

A interpretação cínica seria: "Isso é uma prova inequívoca de que o mundo é profundamente injusto".

Pois vejamos os fatos: Lois Rosenthal não quis publicar "Conversa de alce" quando o recebeu de uma autora desconhecida, mas decidiu publicá-lo quando o recebeu de uma famosa agente literária. Portanto, o importante não é o que você conhece, mas *quem* conhece. O talento não significa nada, o que importa são os contatos, e o mundo da criatividade — aliás, o mundo de modo geral — é cruel e injusto.

Se quiser enxergar as coisas dessa forma, vá em frente.

Contudo, não foi assim que enxerguei. Pelo contrário, para mim aquilo foi mais um exemplo da Grande Magia — e, mais uma vez, um exemplo brilhante. A meus olhos, aquela era uma prova de que nunca devemos nos entregar, de que nem sempre *não* significa *não* e de que reviravoltas milagrosas do destino podem acontecer com aqueles que persistem.

Além disso, tente imaginar quantos contos por dia Lois Rosenthal estava lendo na década de 1990. (Já vi pilhas de manuscritos não lidos em redações de revistas; imagine uma torre de envelopes pardos amontoados até o teto.) Todos gostaríamos de acreditar que nosso trabalho é original e inesquecível, mas, sem dúvida, em determinado ponto, tudo deve se misturar — até as histórias com temas de animais. Além do mais, não sei em que estado de espírito Lois estava quando leu "Conversa de alce" na primeira vez. Talvez o tenha lido no fim de um longo dia de trabalho, após uma discussão com um colega ou pouco antes de precisar ir ao aeroporto apanhar um parente que não estava muito ansiosa para ver. Também não sei como estava seu estado de espírito na segunda vez que leu o conto.

Talvez tivesse acabado de voltar de uma revigorante viagem de férias. Ou pode ser que tivesse acabado de receber uma ótima notícia: de que um ente querido não estava com câncer, afinal de contas. Quem sabe? Tudo o que sei é que, quando Lois Rosenthal leu meu conto pela segunda vez, ele ecoou e repercutiu em sua consciência. Mas esse eco só estava em sua mente porque *eu o havia plantado ali*, muitos anos antes, quando lhe enviei o conto pela primeira vez. E também porque tinha permanecido no jogo, mesmo após a recusa inicial.

Esse incidente também me ensinou que essas pessoas — os guardiões dos portões de nossos sonhos — não são robôs. São apenas pessoas como nós. São imprevisíveis e peculiares, um pouco diferentes a cada dia, assim como você e eu. Não existe nenhum modelo preciso que possa prever o que cativará a imaginação de um indivíduo ou quando isso ocorrerá; é preciso alcançá-lo no momento certo. Mas, como não temos como saber o momento certo, é necessário maximizar nossas chances. Arriscar-nos. Precisamos nos pôr em evidência com ânimo obstinado e continuar persistindo.

O esforço compensa, pois quando a conexão finalmente se estabelece, a sensação é indescritível, de outro mundo. Porque é isto que significa ser fiel à vida criativa: você tenta, tenta e tenta e nada funciona. Mesmo assim, você continua tentando, continua buscando, e, às vezes, no lugar e no momento mais inesperados, finalmente acontece. Você estabelece a conexão. De repente, tudo se encaixa. Às vezes, fazer arte é como participar de uma sessão espírita ou vagar pela noite, tentando atrair um animal selvagem. Temos a sensação de estar fazendo algo impossível e até tolo, até que ouvimos o estrondo dos cascos e uma bela fera irrompe na clareira, nos procurando com a mesma urgência com que a procurávamos.

Então é preciso continuar tentando. É preciso continuar vagando pela floresta escura, tentando atrair a Grande Magia. É preciso seguir buscando de maneira fiel e incansável, torcendo para um dia conseguir experimentar aquela divina colisão de comunhão criativa — seja mais uma vez ou pela primeira vez.

Porque, quando tudo se encaixa, é incrível. Quando tudo se encaixa, a única coisa que podemos fazer é nos curvar em sinal de gratidão, como se nos tivesse sido concedida uma audiência com o divino.

Pois foi isso que de fato aconteceu.

Para concluir

Muitos anos atrás, meu tio Nick foi assistir a uma palestra do eminente escritor americano Richard Ford em uma livraria em Washington, DC. Durante a sessão de perguntas e respostas após a palestra, um homem de meia-idade na plateia se levantou e disse mais ou menos assim:

"Sr. Ford, você e eu temos muito em comum. Assim como você, passei a vida escrevendo contos e romances. Nós dois temos mais ou menos a mesma idade, origens semelhantes e escrevemos sobre os mesmos temas. A única diferença é que você se tornou um célebre homem de letras e eu — apesar de décadas de esforço — nunca fui publicado. Isso me parte o coração. Todas essas rejeições e decepções acabaram comigo. Queria saber se você tem algum conselho para mim. Mas, por favor, qualquer que seja sua resposta, só não me diga para perseverar. Porque essa é a única coisa que todo mundo me diz para fazer, e ouvir isso só faz com que eu me sinta pior."

Bem, eu não estava lá. E não conheço Richard Ford pessoalmente. Mas de acordo com meu tio, que é uma fonte confiável, Ford respondeu: "Sinto muito por suas decepções. Pode acreditar, nunca o insultaria lhe dizendo simplesmente para perseverar. Não consigo nem imaginar como deve ser desanimador ouvir isso após todos esses anos de rejeição. Na verdade, vou lhe dizer outra coisa, algo que talvez o surpreenda. Vou lhe dizer para desistir".

A plateia ficou imóvel: que tipo de incentivo era aquele?

Ford continuou: "Digo isso apenas porque escrever claramente não está lhe trazendo nenhum prazer. Só o está fazendo sofrer. Nosso tempo aqui na Terra é curto e deve ser aproveitado. Você deveria abandonar esse sonho e tentar encontrar outra coisa para fazer da vida. Viaje, encontre novos hobbies, passe mais tempo com a família e os amigos, relaxe. Mas pare de escrever, porque isso está obviamente acabando com você".

Houve um longo silêncio.

Então Ford sorriu e acrescentou, quase como uma reflexão tardia:

"Mas vou lhe dizer uma coisa. Se acabar descobrindo, após alguns anos sem escrever, que não encontrou nada que preencha o espaço da escrita em sua vida, nada que o fascine, que mexa com você ou que o inspire da mesma forma... bem, então sinto lhe informar que não terá outra escolha senão perseverar".

Confiança

Ela ama você?

Minha amiga, a dra. Robin Wall Kimmerer, é botânica, escritora e ensina biologia ambiental na SUNY College of Environmental Science and Forestry, em Syracuse, Nova York. Seus alunos são todos jovens ambientalistas fervorosos, seriamente engajados e desesperados para salvar o mundo.

Antes de poderem começar a se dedicar à sua missão de salvar o mundo, no entanto, Robin normalmente lhes faz duas perguntas.

A primeira é: "Vocês amam a natureza?".

Todos levantam a mão.

A segunda pergunta é: "Vocês acreditam que a natureza ama vocês em retribuição?".

Todos abaixam a mão.

A essa altura, Robin lhes diz: "Então já temos um problema".

E o problema é o seguinte: esses jovens tão empenhados em salvar o mundo acreditam honestamente que a Terra é indiferente a eles. Acreditam que os humanos não passam de consumidores passivos e que nossa presença aqui neste planeta é uma força destrutiva. (Só tomamos e tomamos, sem oferecer em troca à natureza nada que a beneficie.) Acreditam que os seres humanos estão aqui por um acidente aleatório e que, portanto, a Terra não está nem aí para nós.

Nem é preciso dizer que os povos antigos não enxergavam as coisas assim. Nossos ancestrais sempre acreditaram estar em um relacionamento emocional recíproco com o mundo à sua volta. Quer sentissem que estavam sendo recompensados ou punidos pela Mãe Natureza, pelo menos mantinham um *diálogo* constante com ela.

Robin acredita que as pessoas hoje perderam essa noção de diálogo, essa consciência de que a Terra está se comunicando *conosco* da mesma forma que estamos nos comunicando *com ela*. Em vez disso, aprendemos a acreditar que a natureza não nos ouve nem vê, talvez por acharmos que ela não possui senciência inerente. O que, de certa forma, é um construto patológico, pois nega qualquer possibilidade de relacionamento. (Mesmo a crença em uma Mãe Natureza punitiva é melhor do que a noção de que ela nos é indiferente; pelo menos a raiva representa algum tipo de troca energética.)

Sem essa noção de relacionamento, Robin adverte seus alunos de que estão perdendo algo incrivelmente importante: o potencial de se tornarem *cocriadores* da vida. Nas palavras de minha amiga: "A troca de amor entre a Terra e as pessoas traz à tona os dons criativos de ambos os lados. A Terra não é indiferente a nós. Pelo contrário, reclama nossos dons em troca dos seus — a natureza recíproca da vida e da criatividade".

Ou, para resumir em termos mais simples: a natureza fornece a semente, o homem fornece o jardim; ambos são gratos pela ajuda do outro.

Então Robin sempre começa por aí. Antes de poder ensinar a esses alunos como curar o mundo, precisa ensiná-los como curar *a maneira como se enxergam no mundo*. Precisa convencê-los de que têm o direito de estar aqui, para começo de conversa. (Mais uma vez: a arrogância do pertencimento.) Precisa apresentar a eles o conceito de que podem, de fato, ser amados em retribuição pela entidade que tanto veneram, pela própria natureza que os criou.

Porque, de outra forma, jamais dará certo.

Porque, de outra forma, ninguém — nem a Terra nem os alunos nem qualquer um de nós — jamais se beneficiará.

A pior namorada de todos os tempos

Inspirada nessa noção, agora faço com frequência o mesmo tipo de pergunta a jovens aspirantes a escritores.

"Vocês amam escrever?", pergunto.

É claro que amam. *Dã.*

Pergunto então: "Vocês acreditam que a escrita ama vocês em retribuição?"

Eles me olham como se eu devesse ser internada em um hospício.

"É claro que não", respondem. A maioria afirma que a escrita é totalmente indiferente a eles. E se por acaso sentem ter um relacionamento recíproco com a criatividade, esse relacionamento costuma ser profundamente doentio. Muitas vezes, esses jovens escritores afirmam que a escrita simplesmente os odeia. A escrita mexe com suas cabeças, os atormenta e se esconde deles. Ela os pune, os destrói. A escrita acaba com eles de todas as maneiras imagináveis.

Como descreveu um jovem autor que conheço: "Para mim, a escrita é como aquela menina linda, mas meio escrota, que você sempre idolatrou no colégio, mas que só flertava com você por interesse. No fundo, você sabe que ela não presta e que deveria se afastar para sempre, mas ela sempre volta a seduzi-lo. E quando você acha que ela finalmente vai ser sua namorada, ela aparece na escola de mãos dadas com o capitão do time de futebol, fingindo que nem sabe quem você é. Tudo o que você pode fazer é se fechar em uma cabine do banheiro e chorar. A escrita é *cruel*".

"Nesse caso", perguntei a ele, "o que você quer fazer da vida?"

"Quero ser escritor", ele respondeu.

O vício do sofrimento

Está começando a ver como isso é doentio?

Não são apenas os aspirantes a escritor que se sentem assim. Autores mais antigos, já bem estabelecidos, dizem exatamente as mesmas coisas sombrias sobre o próprio trabalho. (Com quem você acha que os jovens autores aprenderam?) Segundo Norman Mailer, cada um de seus livros o matou um pouco mais. Philip Roth nunca deixou de falar sobre as torturas medievais que a escrita lhe infligiu durante a longa e sofrida carreira. Oscar Wilde se referia à existência artística como "um longo e belo suicídio". (Adoro Wilde, mas tenho dificuldade em enxergar o suicídio como algo belo. Aliás, tenho dificuldade em enxergar toda essa angústia como bela.)

E os escritores não são os únicos a se sentirem assim. Artistas visuais sentem o mesmo. Segundo o pintor Francis Bacon, "os sentimentos de desespero e infelicidade são mais úteis para um artista do que o contentamento, pois o desespero e a infelicidade ampliam nossa sensibilidade". Atores se sentem assim, dançarinos se sentem assim e músicos, sem dúvida, também se sentem assim. Rufus Wainwright certa vez admitiu morrer de medo de estar em um relacionamento estável e feliz, pois, sem o drama emocional de todas aquelas aventuras amorosas problemáticas, temia perder acesso "ao lago negro da dor" que acreditava ser tão crucial para sua música.

E é melhor nem começarmos a falar dos poetas.

Basta dizer que a linguagem moderna da criatividade — desde os mais jovens aspirantes até os mestres reconhecidos — está impregnada de dor, desolação e transtornos. Inúmeros artistas trabalham em completa solidão física e emocional, isolados não só de outros seres humanos, mas também da fonte da própria criatividade.

E, o que é pior, muitas vezes têm um relacionamento emocionalmente violento com o trabalho. Quer produzir algo? O conselho que lhe dão é: corte uma veia e deixe sangrar. Está na hora de editar seu trabalho? Você é instruído a matar todos aqueles que lhe são queridos. Pergunte a um escritor como está indo seu livro e é possível que ele responda: "Finalmente quebrei a espinha dele esta semana".

E isso se a semana tiver sido *boa*.

Um conto admonitório

Uma das novas romancistas mais interessantes que conheço é uma jovem talentosa chamada Katie Arnold-Ratliff. Ela escreve como poucos, mas me contou que teve um bloqueio criativo durante vários anos em decorrência de algo que um professor de redação lhe disse: "A menos que você sinta um desconforto emocional enquanto estiver escrevendo, nunca produzirá nada de valor".

Entendo em parte o que o professor de Katie podia estar tentando dizer. Talvez a mensagem que pretendesse passar fosse algo como: "Não tenha medo de sair da zona de conforto para extrapolar seus limites criativos", ou "Nunca recue diante do desconforto que às vezes pode surgir durante seu trabalho". Acho que são noções perfeitamente legítimas. Contudo, sugerir que ninguém jamais produziu arte de valor a menos que estivesse passando por sérios transtornos emocionais não só é mentira como é também um tanto quanto doentio.

Mas Katie acreditou.

Em respeito e deferência ao professor, Katie levou aquelas palavras a sério e passou a aceitar a ideia de que se o processo criativo não a deixava angustiada era porque estava fazendo alguma coisa errada.

Sem sangue não há glória, certo?

O problema era que Katie tinha uma ideia para um romance com a qual estava empolgada. O livro que queria escrever parecia tão interessante, tão louco e tão estranho, que ela achou que provavelmente seria divertido escrevê-lo. Na verdade, parecia tão divertido, que fez com que se sentisse culpada. Afinal, algo que lhe trouxesse prazer ao escrever não poderia ter nenhum valor artístico, certo?

Então adiou o projeto daquele romance louco e divertido por anos e anos, pois não confiava na legitimidade do prazer que antecipara sentir ao escrevê-lo. Finalmente, fico feliz em dizer, Katie conseguiu superar esse obstáculo mental e escrever o livro. E não, não foi necessariamente *fácil* escrevê-lo, mas, de fato, se divertiu muito ao fazê-lo. E, sim, é brilhante.

É uma pena, porém, que tenha perdido todos aqueles anos de inspiração criativa simplesmente porque não acreditava que seu trabalho a deixava infeliz o suficiente.

Aham.

Deus nos livre de que alguém possa um dia sentir prazer com a vocação que escolheu.

O ensino da dor

Infelizmente, a história de Katie não é incomum.

Muitas pessoas criativas foram ensinadas a suspeitar do prazer e só confiar no sofrimento. Há diversos artistas que acreditam que a angústia é a única experiência emocional verdadeiramente autêntica. Podem ter tirado essa ideia sombria de qualquer lugar; é uma crença comum aqui no mundo ocidental, com nossas heranças emocionais pesadas de sacrifício cristão e romantismo germânico, que dão crédito excessivo aos méritos da agonia.

Não confiar em nada além do sofrimento, no entanto, é um caminho perigoso. Para começar, o sofrimento é famoso por matar artistas. E, mesmo quando não os mata, a dependência da dor pode deixá-los em tal estado de transtorno mental que acabam parando completamente de trabalhar. (Meu ímã de geladeira preferido diz: "Já sofri o bastante. Quando é que a minha arte vai melhorar?".)

Talvez você também tenha sido ensinado a acreditar na escuridão.

É possível até que esses ensinamentos tenham vindo de pessoas criativas que você amava e admirava. Foi certamente o meu caso. Quando estava no ensino médio, um professor de inglês que eu adorava certa vez me disse:

"Você é uma escritora talentosa, Liz. Mas, infelizmente, nunca terá sucesso, porque não sofreu o suficiente na vida".

Que coisa horrível de se dizer!

Em primeiro lugar, o que é que um homem de meia-idade sabe a respeito do sofrimento de uma adolescente? Provavelmente eu tinha sofrido mais naquele dia apenas durante *o intervalo do almoço* do que ele sofrera a vida inteira. E, além disso, desde quando a criatividade é uma competição de sofrimento?

Eu admirava aquele professor. Imagine se tivesse acreditado piamente em suas palavras e decidido partir em uma espécie de busca byroniana de atribulações que me legitimassem como artista. Felizmente, não fiz isso. Meus instintos me levaram na direção oposta, em busca da leveza, da diversão, de um relacionamento com a criatividade mais pautado na confiança. Mas tive sorte. Há muitos que partem, de fato, nessa cruzada sombria e, às vezes, de propósito. "Todos os meus heróis musicais eram viciados em drogas e quero ser como eles", disse minha querida amiga Rayya Elias, uma compositora talentosa que lutou contra o vício da heroína por mais de uma década. Durante esse período, foi presa, morou na rua e foi internada em hospitais psiquiátricos — e parou completamente de compor.

Rayya não é a única artista a ter confundido a autodestruição com um compromisso sério com a criatividade. O saxofonista Jackie McLean contava que, durante a década 1950, em Greenwich Village, vira dezenas de jovens aspirantes a músicos começarem a usar heroína para imitar seu herói, Charlie Parker. E ainda mais impressionante, segundo McLean, era o fato de que muitos jovens jazzistas *fingiam* ser viciados em heroína ("de olhos entreabertos, fazendo aquela pose largada"), ainda que o próprio Charlie Parker implorasse às pessoas que não imitassem aquele seu aspecto mais trágico. No entanto, talvez seja mais fácil usar heroína — ou até fingir romanticamente usar heroína — do que se dedicar de coração à sua arte.

O vício não faz o artista. Raymond Carver, por exemplo, sabia disso por experiência própria. Era alcoólatra e nunca conseguiu se tornar o escritor que precisava ser — nem mesmo para tratar do assunto do alcoolismo — até largar a bebida. Segundo ele, "qualquer artista que seja alcoólatra é um artista *apesar* do alcoolismo, não graças a ele".

Concordo. Acredito que nossa criatividade cresça como erva daninha na calçada: das brechas entre nossas patologias, não das próprias patologias. Mas muitas pessoas acham que é o contrário. Por isso encontramos com frequência artistas que deliberadamente se apegam ao sofrimento, aos vícios, medos e demônios. Eles têm medo de perder a identidade caso se desprendam de toda essa angústia. Pense na famosa frase de Rilke: "Se meus demônios me abandonarem, temo que meus anjos desapareçam também".

Rilke era um poeta glorioso, e essa frase é de uma elegância ímpar, mas também denota sérios transtornos emocionais. Infelizmente, já a ouvi sendo citada inúmeras vezes por pessoas criativas como desculpa para não largarem a bebida, não se consultarem com um terapeuta, não fazerem um tratamento para a depressão ou a ansiedade, não lidarem com seus problemas sexuais ou de relacionamento, ou basicamente se recusarem a buscar qualquer tipo de cura e crescimento pessoal — *porque não querem perder seu sofrimento*, que de alguma forma associaram e confundem com a criatividade.

As pessoas têm, de fato, uma estranha confiança em seus demônios.

Nossos anjos amigos

Quero deixar algo perfeitamente claro: não nego a realidade do sofrimento — nem o seu, nem o meu, nem o da humanidade em geral. Apenas me recuso a *fetichizá-lo*. Sem dúvida, me recuso a buscar deliberadamente o sofrimento em nome da autenticidade artística. Como advertiu Wendell Berry, "atribuir à Musa uma predileção pela dor é chegar perto demais de desejar e cultivar a dor".

Claro, o artista atormentado às vezes é uma pessoa real. Sem dúvida, há muitas almas criativas por aí que sofrem de sérios distúrbios mentais. (Por outro lado, há também centenas de milhares de almas com sérios distúrbios mentais que não possuem nenhum talento artístico extraordinário, de modo que associar automaticamente loucura e genialidade me parece uma falácia.) Contudo, precisamos estar alertas para a sedução do artista atormentado, pois às vezes não passa de uma *persona*, um papel que as pessoas se acostumam a desempenhar. Um papel que pode exercer uma atração pitoresca, com certo glamour sombrio e romântico. Além disso, costuma trazer consigo um benefício colateral extremamente útil: a justificativa para comportamentos terríveis.

Se você é o artista atormentado, afinal, tem uma desculpa para maltratar seus parceiros românticos, para se maltratar, para maltratar seus filhos, para maltratar todo mundo. Você tem direito a ser exigente, arrogante, grosso, cruel, antissocial, afetado, explosivo, mal-humorado, manipulador, irresponsável e/ou egoísta. Pode beber o dia inteiro e brigar a noite toda. Se você fosse zelador ou farmacêutico e se comportasse assim, as pessoas o chamariam de babaca, e com razão. Mas, como artista atormentado, você tem passe livre, pois é especial. Porque você é sensível e criativo. Porque às vezes faz coisas bonitas.

Não acredito em nada disso. Acredito que é possível levar uma vida criativa e, ainda assim, fazer um esforço para ser uma pessoa decente. Nesse ponto, concordo com o psicanalista britânico Adam Phillips, que argumenta que "se a arte legitima a crueldade, acho que a arte não vale a pena".

Nunca me senti atraída pelo ícone do artista atormentado, nem durante a adolescência, quando aquela figura pode parecer especialmente sexy e sedutora a meninas românticas como eu. Não me atraía na época e até hoje não me atrai. Já vi muita dor na vida, obrigada, e não levantarei a mão para pedir mais. Também já convivi o suficiente com pessoas com distúrbios mentais para saber que a loucura não é algo a ser romantizado. Além disso, já passei por uma série de períodos de depressão, ansiedade e vergonha em minha vida para entender que esse tipo de experiência não é particularmente produtivo para mim. Não tenho grande amor por meus demônios pessoais nem sinto que lhes devo qualquer tipo de lealdade, pois nunca me foram úteis. Durante meus períodos de sofrimento e instabilidade, percebo que meu espírito criativo fica limitado e sufocado. Descobri que tenho muita dificuldade para escrever quando estou triste e que *definitivamente* não consigo escrever ficção quando estou infeliz. (Em outras palavras, posso viver um drama ou posso inventar um drama, mas não tenho a capacidade para fazer ambos ao mesmo tempo.)

A dor emocional faz de mim o oposto de uma pessoa profunda; deixa minha vida estreita, superficial e isolada. O sofrimento pega todo esse universo gigantesco e empolgante e o reduz ao tamanho de minha cabecinha triste. Quando meus demônios pessoais assumem o controle, sinto meus anjos criativos se afastarem. Assistem à luta de uma distância segura, mas ficam apreensivos. Além disso, vão ficando cada vez mais impacientes. É quase como se dissessem: "Moça, por favor, recomponha-se! Ainda temos muito trabalho a fazer!".

Meu desejo de trabalhar, de colaborar com a criatividade da maneira mais íntima e livre possível, é meu maior incentivo pessoal para lutar contra a dor e levar a vida mais saudável e estável que puder.

Mas isso é apenas graças àquilo em que decidi confiar: o *amor*.

O amor acima do sofrimento, sempre.

Escolha em que confiar

Se, no entanto, decidir seguir o outro caminho (se optar por confiar no sofrimento mais do que no amor), saiba que estará construindo sua casa em um campo de batalha. E quando tantas pessoas tratam o processo criativo como uma zona de guerra, não é de surpreender que haja tantas vítimas. Tanto desespero, tanta escuridão. E a que custo!

Nem tentarei listar os nomes de todos os escritores, poetas, artistas, dançarinos, compositores, atores e músicos que cometeram suicídio no último século ou que morreram muito antes do que deveriam da mais lenta das táticas de suicídio, o alcoolismo. (Quer saber os números? Basta procurar na internet. Mas, acredite, é uma quantidade assustadora.) Esses prodígios perdidos eram infelizes por diversas razões, claro, embora eu aposte que todos — pelo menos em algum momento da vida — amassem seu trabalho. Contudo, se perguntássemos a qualquer uma dessas almas talentosas, porém atormentadas, se acreditavam que o trabalho *os amava em retribuição*, desconfio que a resposta seria *não*.

Mas por que não os amaria?

Esta é a pergunta que faço, e acho que é uma pergunta justa: por que sua criatividade *não* o amaria? Ela veio até você, não veio? Aproximou-se. Conseguiu entrar em você, pedindo sua atenção e sua devoção. Encheu-o do desejo de produzir coisas interessantes. A criatividade quis ter um relacionamento com você. Deve ter tido algum motivo para isso, certo? Você acredita honestamente que a criatividade se deu a todo esse trabalho de invadir sua consciência só porque queria matar você?

Isso não faz o menor sentido! Que benefício isso traria à criatividade? Quando Dylan Thomas morre, não há mais poemas de Dylan Thomas; esse canal é silenciado para sempre, e isso é terrível. Não consigo imaginar um universo em que a criatividade desejaria isso. Só consigo imaginar que ela preferiria um mundo em que Dylan Thomas tivesse continuado vivendo e produzindo por um longo, longo tempo. Não só Dylan Thomas, mas muitos outros. Há um buraco no mundo deixado por toda a arte que aquelas pessoas não produziram — há um buraco em *nós* deixado pela perda do trabalho desses artistas —, e não consigo acreditar que isso tenha sido parte do plano divino de alguém.

Afinal, reflita: se a única coisa que uma ideia deseja é se manifestar, por que ela deliberadamente o machucaria, quando é você quem pode lhe dar vida? (A natureza fornece a semente, o homem fornece o jardim; ambos são gratos pela ajuda do outro.)

Será possível, então, que a criatividade não esteja nos sacaneando, mas que sejamos justamente nós a sacaneá-la?

Felicidade obstinada

A única coisa que posso dizer ao certo é que toda a minha vida foi moldada pela decisão que tomei muito cedo de rejeitar o culto do martírio artístico e depositar minha confiança na ideia louca de que *meu trabalho me ama tanto quanto eu o amo*, de que quer se divertir comigo tanto quanto quero me divertir com ele, e de que essa fonte de amor e diversão é ilimitada.

Escolhi acreditar que havia um desejo de ser criativa codificado em meu DNA por razões que nunca conhecerei e que a criatividade não me abandonará, a não ser que eu a afaste à força ou a mate por envenenamento. Cada molécula do meu ser sempre me impulsionou na direção desta área de atuação: a da linguagem, da narrativa, da pesquisa. Concluí que se o destino não quisesse que eu fosse escritora, não deveria ter feito de mim uma escritora. Mas *fez*, e decidi ir ao encontro desse destino com o máximo de ânimo e o mínimo de drama possível, pois a maneira como escolho me comportar como escritora só cabe a mim. Posso fazer de minha criatividade um campo de extermínio ou um interessante gabinete de curiosidades.

Posso fazer dela até um ato de oração.

Minha escolha, então, é basicamente sempre encarar meu trabalho com uma atitude de felicidade obstinada.

Trabalhei durante anos com felicidade obstinada antes de ter meus trabalhos publicados. Trabalhei com felicidade obstinada quando ainda era uma autora desconhecida, cujo primeiro livro só vendeu um punhado de cópias — a maioria para meus próprios familiares. Trabalhei com felicidade obstinada quando estava vivendo o sucesso de um gigantesco best-seller. Trabalhei com felicidade obstinada quando não estava mais vivendo o sucesso de um gigantesco best-seller e meus livros seguintes não venderam milhões de cópias. Trabalhei com felicidade obstinada quando os críticos me elogiaram e quando me ridicularizaram. Continuo me atendo à felicidade obstinada quando meu trabalho vai mal e também quando vai bem.

Escolho nunca acreditar que estou completamente abandonada na selva criativa ou que tenho razões para entrar em pânico a respeito de minha escrita. Escolho confiar em que a inspiração está sempre por perto, durante todo o tempo em que estou trabalhando, dando o máximo de si para me ajudar. O negócio é que a inspiração vem de outro mundo, entende? Ela fala uma língua totalmente diferente da minha, então às vezes temos dificuldade em nos entender. Mas a inspiração ainda está sentada bem a meu lado e está *tentando*. Ela se esforça para me enviar mensagens de todas as formas que pode: por meio de sonhos, portentos, dicas, coincidências, déjà-vu, do destino, de surpreendentes ondas de atração e reação, dos calafrios que percorrem meus braços e minha nuca, do prazer de algo novo e surpreendente, de ideias teimosas que me mantêm acordada a noite toda... *do que quer que funcione.*

A inspiração está sempre tentando trabalhar comigo.

Então me sento e trabalho também.

Esse é nosso acordo.

Eu confio nela; ela confia em mim.

Escolha sua ilusão

Isso é ilusório?

É ilusório depositar toda a minha confiança em uma força que não posso ver nem tocar e cuja existência não posso provar — uma força que talvez nem exista de fato?

Tudo bem. Para fins de argumentação, digamos que seja ilusório.

Mas será que é mais ilusório do que acreditar que apenas o sofrimento e a dor são autênticos? Ou que você está *sozinho*, que não tem nenhuma relação com o universo que o criou? Que foi escolhido pelo destino para ser especialmente amaldiçoado? Que seus talentos lhe foram dados com a mera finalidade de destruí-lo?

O que estou dizendo é o seguinte: se você vai viver a vida com base em ilusões (e vai, pois é o que todos fazemos), por que não selecionar uma ilusão que seja útil?

Deixe-me sugerir uma: *O trabalho quer ser feito, e quer ser feito através de você.*

O mártir × o malandro

Porém, a fim de se livrar do vício do sofrimento criativo, você precisa rejeitar o caminho do mártir e abraçar o caminho do malandro.

Todos temos um pouco de malandro, assim como temos todos um pouco de mártir (tudo bem, alguns têm *muito* de mártir), mas em determinado ponto de sua jornada criativa será preciso decidir de que lado você quer ficar e, portanto, que partes suas deve cultivar e fazer crescer. Pense bem antes de escolher. Como diz minha amiga, a radialista Caroline Casey: "Antes ser malandro que ser mártir".

"Mas qual é a diferença entre um mártir e um malandro?", você pergunta.

Eis aqui uma pequena cartilha.

A energia do mártir é sombria, solene, machista, hierárquica, fundamentalista, austera, intransigente e profundamente rígida.

A energia do malandro é leve, matreira, transgênero, transgressiva, animista, insubordinada, primal e está em constante e eterna mutação.

O mártir diz: "Sacrificarei tudo para lutar esta guerra invencível, mesmo que isso signifique morrer esmagado sob uma roda de tormentos".

O malandro diz: "Então tá, divirta-se! Quanto a mim, estarei ali naquele canto, conduzindo uma pequena operação do mercado negro para tirar algum proveito da sua guerra invencível".

O mártir diz: "A vida é dor".

O malandro diz: "A vida é interessante".

O mártir diz: "O sistema é um jogo de cartas marcadas, onde tudo o que é bom e sagrado sempre sai perdendo".

O malandro diz: "Não existe sistema nenhum, tudo é bom e nada é sagrado".

O mártir diz: "Ninguém nunca me entenderá".

O malandro diz: "Escolha uma carta, qualquer carta!".

O mártir diz: "O mundo nunca poderá ser resolvido".

O malandro diz: "Talvez não... mas pode ser *burlado*".

O mártir diz: "Por meio do meu tormento, a verdade será revelada".

O malandro diz: "Não vim aqui para sofrer, amigo".

O mártir diz: "Antes a morte que a desonra!".

O malandro diz: "Vamos fazer um acordo".

O mártir sempre acaba morto sobre as ruínas da glória, enquanto o malandro sai por aí, saltitante, para aproveitar mais um dia.

Mártir = Sir Thomas More.

Malandro = Pernalonga.

Confiança de malandro

Acredito que o impulso humano original para a criatividade nasceu puramente da energia do malandro. Claro! A criatividade quer virar o mundo trivial de cabeça para baixo e do avesso, o que é exatamente o que um malandro sabe fazer melhor. Mas, em algum ponto no decorrer dos últimos séculos, a criatividade foi sequestrada pelos mártires e desde então vem sendo mantida como refém em um campo de sofrimento. Para mim, essa reviravolta deixou a arte se sentindo muito triste. Sem dúvida, deixou muitos artistas se sentindo muito tristes.

Eu diria que está na hora de devolver a criatividade aos malandros.

O malandro é obviamente uma figura fascinante e subversiva. Mas, para mim, o mais maravilhoso em um bom malandro é que ele *confia*. Pode parecer contraintuitivo sugerir isso, pois tendemos a enxergar o malandro como alguém esquivo e de caráter duvidoso, mas na verdade é cheio de confiança. Confia em si mesmo, obviamente. Confia na própria astúcia, no direito de estar aqui, na capacidade de se sair bem em qualquer situação. Em certa medida, claro, também confia nas outras pessoas (no sentido em que serão alvos fáceis para sua esperteza). Porém, acima de tudo, o malandro confia no universo: em seu caos, sua desordem e seu eterno fascínio. Por isso não sofre de ansiedade indevida. Confia em que o universo está sempre brincando e, especificamente, que quer brincar *com ele*.

Um bom malandro sabe que, se lançar alegremente uma bola em direção ao cosmos, ela será rebatida para ele. Talvez seja rebatida com força, talvez meio torta, talvez volte em uma saraivada de projéteis digna de um desenho animado ou talvez só retorne no meio do ano seguinte — porém, mais cedo ou mais tarde, aquela bola será jogada de volta para ele. O malandro espera que a bola retorne, a apanha quando chega e a lança mais uma vez em direção ao vazio, só para ver o que acontecerá. E adora fazer isso, pois (com toda sua esperteza) entende a única grande verdade cósmica que o mártir (com toda sua seriedade) nunca conseguirá compreender: *tudo isso não passa de um jogo.*

Um grande, maravilhoso e estranho jogo.

O que não é problema nenhum, porque o malandro gosta do estranho.

O estranho é seu ambiente natural.

O mártir odeia o estranho. O mártir quer matar o estranho. E, ao fazer isso, com frequência acaba se matando também.

Uma boa jogada de malandro

Sou amiga de Brené Brown, autora de *A coragem de ser imperfeito* e de outras obras sobre a vulnerabilidade humana. Brené escreve livros maravilhosos, mas eles não lhe vêm com facilidade. Ela sua, luta e sofre durante todo o processo de escrita, e sempre foi assim. Contudo, recentemente, apresentei a Brené essa ideia de que a criatividade é para os malandros, não para os mártires. Era uma ideia da qual ela nunca tinha ouvido falar. (Como explica Brené: "Olhe, venho de um ambiente acadêmico, que é profundamente arraigado no martírio. A filosofia é: 'Você precisa ralar e sofrer durante anos em solidão para produzir trabalhos que só quatro pessoas vão ler'".)

Mas quando Brené entendeu essa ideia da malandragem, começou a prestar mais atenção nos próprios hábitos e percebeu que suas criações vinham de um lugar demasiadamente escuro e carregado dentro de si. Já havia escrito vários livros de sucesso, mas todos tinham sido para ela como uma estrada de provações medieval: nada além de medo e angústia durante todo o processo. Nunca questionara toda aquela angústia, pois acreditava ser perfeitamente normal. Afinal, artistas sérios só podem provar seu mérito através da dor profunda, certo? Assim como muitos outros criadores, Brené aprendera a confiar na dor acima de tudo.

No entanto, quando se sintonizou com a possibilidade de escrever usando a energia da malandragem, sua vida mudou. Percebeu que o ato de escrever em si era de fato difícil... mas que *contar histórias* não era. Brené é uma contadora de histórias cativante e ama falar em público. É uma texana de quarta geração com um dom para tecer contos como poucos. Sabia que, quando dizia suas ideias em voz alta, elas fluíam como um rio. Porém, quando tentava escrevê-las, elas se estagnavam completamente.

Então Brené descobriu como burlar o processo.

Para seu mais recente livro, tentou algo novo: uma astuciosa jogada de malandro de altíssimo nível. Convocou duas de suas amigas mais queridas para se juntarem a ela em uma casa de praia em Galveston a fim de ajudá-la a terminar o livro, cujo prazo de entrega estava chegando.

Pediu a elas que ficassem lá sentadas no sofá e tomassem notas detalhadas enquanto ela lhes contava histórias sobre o assunto do livro. Após cada história, pegava as anotações das amigas, corria para o quarto, trancava a porta e escrevia exatamente o que tinha acabado de lhes contar, enquanto esperavam pacientemente na sala. Assim, Brené conseguiu reproduzir no papel o tom natural da própria voz, do mesmo modo que a poetisa Ruth Stone encontrou uma maneira de reproduzir os poemas enquanto eles a atravessavam. Brené então voltava correndo para a sala e lia em voz alta o que acabara de escrever. As amigas a ajudavam a destrinchar ainda mais a narrativa, pedindo que se explicasse com novas anedotas e histórias, e, mais uma vez, tomavam notas. Brené então pegava essas anotações e voltava para o quarto para transcrever as histórias.

Preparando uma armadilha de malandro para a própria narrativa, Brené encontrou uma maneira de apanhar o tigre pela cauda.

O processo envolveu muitas risadas e besteiras. Afinal de contas, eram três amigas sozinhas em uma casa de praia. Saíam para comprar tortilhas, cerveja e para visitar o golfo. Divertiram-se à beça. Esse é o exato oposto da imagem estereotipada do artista atormentado se debatendo sozinho em seu estúdio no sótão, mas, como me disse Brené, "não quero saber mais daquilo. Nunca mais ficarei sofrendo isolada para escrever sobre o tema da conexão humana". E seu novo truque funcionou às mil maravilhas. Nunca antes havia escrito tão rápido, tão bem e com tanta *confiança*.

Veja bem, ela não estava escrevendo um livro de comédia. Um processo leve não precisa necessariamente resultar em um produto leve. Afinal de contas, Brené é uma socióloga de renome que estuda a vergonha.

Aquele era um livro sobre vulnerabilidade, fracasso, ansiedade, desespero e flexibilidade emocional conquistada a duras penas. O resultado em suas páginas foi tão profundo e sério quanto precisava ser. A única diferença é que ela se divertiu enquanto o escrevia, pois finalmente entendeu como driblar o sistema. E, ao fazê-lo, finalmente acessou a própria fonte abundante da Grande Magia.

É assim que um malandro faz o trabalho.

Com leveza.

Sempre com leveza.

Relaxe

O primeiro conto que publiquei foi em 1993, na revista *Esquire*. Chamava-se "Peregrinos", contava a história de uma mulher que trabalhava em um rancho no Wyoming e tinha sido inspirado na minha experiência de trabalhar em um rancho no Wyoming. Como de costume, enviei o conto para diversas publicações, mesmo sem ter sido convidada a fazê-lo. Como de costume, todas o rejeitaram. Exceto uma.

Um jovem editor-assistente da *Esquire* chamado Tony Freund resgatou meu conto da pilha de manuscritos e o levou ao editor-chefe, um homem chamado Terry McDonell. Tony suspeitou que o chefe gostaria da história, pois sabia que sempre fora fascinado pelo Oeste americano. Terry de fato gostou de "Peregrinos" e decidiu comprá-lo; foi assim que tive minha primeira oportunidade como escritora. Era uma grande oportunidade. O conto estava programado para aparecer na edição de novembro da *Esquire*, que teria Michael Jordan na capa.

Um mês antes de a edição começar a ser impressa, contudo, Tony me ligou para dizer que havia um problema. Um dos principais anunciantes havia cancelado sua propaganda e, consequentemente, a revista precisaria ser bem mais curta do que o previsto naquele mês. Teriam de fazer sacrifícios e estavam buscando voluntários. Deram-me duas opções: eu poderia cortar meu conto em 30% para que coubesse na nova edição enxugada de novembro ou poderia cancelar completamente a publicação naquele mês e esperar outra oportunidade para que ele saísse — intacto — em uma edição futura.

"Não posso decidir por você", disse Tony. "Vou entender perfeitamente se você não quiser mutilar seu trabalho assim. Acho que o conto vai sofrer de fato se for amputado. Talvez seja melhor para você, então, se esperarmos alguns meses para publicá-lo intacto. Mas também preciso lhe avisar que o mundo das revistas é muito imprevisível. Talvez seja aconselhável aproveitar esta oportunidade. Se hesitar agora, é possível que seu conto nunca seja publicado. Terry pode acabar perdendo o interesse por ele ou, quem sabe, talvez deixe a *Esquire* e vá para outra revista — aí você ficaria sem seu defensor. Então não sei o que lhe dizer. A escolha é sua."

Você tem ideia do que significa cortar 30% de um conto de dez páginas? Eu tinha trabalhado naquele conto durante um ano e meio. Quando a *Esquire* pôs as mãos nele, era como um bloco de granito polido. Para mim, não havia ali uma palavra supérflua sequer. Além disso, achava que "Peregrinos" era a melhor coisa que eu já tinha escrito e que talvez nunca mais conseguisse escrever tão bem. O conto era extremamente precioso para mim, sangue do meu sangue. Não podia imaginar como a história continuaria fazendo sentido se fosse amputada daquele jeito. Acima de tudo, minha dignidade como artista tinha sido ferida pela ideia de mutilar o melhor trabalho da minha vida simplesmente porque uma montadora de carros tinha cancelado um anúncio em uma revista voltada para o público masculino. E a integridade, o orgulho e a honra? Onde ficavam nessa história?

Se os artistas não defenderem um padrão de incorruptibilidade neste mundo perverso, *quem é que vai fazer isso*?

Por outro lado, dane-se.

Porque, sejamos honestos: não era como se estivéssemos falando da Magna Carta; era apenas um conto sobre uma vaqueira e seu namorado.

Peguei um lápis vermelho e comecei a fazer cortes drásticos.

A devastação inicial da narrativa foi chocante. A história não tinha mais sentido nem lógica. Foi uma verdadeira carnificina — mas foi aí que as coisas começaram a ficar interessantes. Olhando para toda aquela bagunça, me dei conta de que estava diante de um fantástico desafio criativo: será que conseguiria fazer com que ainda funcionasse? Comecei a suturar a narrativa de modo a lhe dar algum sentido. Conforme reconstruía e reposicionava as frases, percebi que os cortes haviam de fato transformado toda a história, mas não necessariamente de uma maneira ruim. A nova versão não era melhor nem pior do que a antiga; era apenas profundamente diferente. Parecia mais áspera e enxuta; austera, mas de um modo agradável.

Nunca teria escrito daquela forma naturalmente — nem sabia que *era capaz* de escrever daquela forma —, e essa revelação em si me deixou intrigada. (Era como um daqueles sonhos em que você descobre em sua casa um quarto que até então não conhecia e fica com a sensação de que a vida tem mais possibilidades a oferecer do que imaginava.) Fiquei impressionada ao descobrir que meu trabalho podia ser tratado com tanta brutalidade — despedaçado, retalhado e remontado — e ainda conseguir sobreviver, talvez até prosperar, dentro de novos parâmetros.

Percebi que o que produzimos nem sempre é necessariamente sagrado só porque acreditamos que seja. O que *é de fato* sagrado é o tempo que passamos trabalhando no projeto, a maneira como esse tempo amplia nossa imaginação e como essa imaginação ampliada transforma nossa vida.

Quanto mais você consegue passar esse tempo com leveza, mais iluminada se torna sua existência.

Não é seu bebê

Quando as pessoas falam de seus trabalhos criativos, muitas vezes referem-se a eles como "meu bebê", o que é o extremo oposto de encarar as coisas com leveza.

Uma semana antes do lançamento de seu novo romance, uma amiga me disse: "Estou me sentindo como se estivesse pondo meu bebê no ônibus da escola pela primeira vez e tenho medo de que os garotos mais velhos impliquem com ele". (Truman Capote descreveu a sensação de maneira ainda mais áspera: "Terminar um livro é como se você levasse seu filho para o quintal e desse um tiro nele".)

Gente, por favor, não confundam seus trabalhos criativos com crianças humanas, está bem?

Esse tipo de pensamento só traz profundas dores psíquicas. É sério. Porque se você acreditar honestamente que o trabalho é seu bebê, terá sérias dificuldades para cortar 30% dele algum dia, e isso é algo que talvez precise fazer. Além disso, se alguém criticar ou corrigir seu bebê, sugerir que talvez seja necessário modificá-lo completamente, ou tentar comprar ou vender seu bebê no mercado aberto, você não conseguirá lidar com a situação. É possível que não consiga lançar seu trabalho nem compartilhá-lo. Afinal, como é que aquele pobre bebezinho indefeso sobreviverá sem você para cuidar dele?

Seu trabalho criativo não é seu bebê; aliás, o mais plausível seria que *você* fosse considerado o bebê *dele*. Fui formada por tudo que já escrevi. Cada projeto me amadureceu de uma maneira diferente. Sou a pessoa que sou hoje precisamente graças ao que produzi e ao que minhas produções fizeram de mim. A criatividade me criou e me fez adulta, a começar pela minha experiência com “Peregrinos”, que me ensinou como *não* agir feito um bebê.

Tudo isso é para dizer que, sim, no fim consegui espremer por milagre uma versão encurtada de “Peregrinos” na edição de novembro de 1993 da *Esquire*. Algumas semanas depois, por acaso do destino, Terry McDonell (meu defensor) acabou de fato deixando seu cargo de editor-chefe da revista. Os contos e artigos que deixou para trás nunca viram a luz do dia. O meu teria ficado entre eles, enterrado em uma cova rasa, caso eu não tivesse concordado em fazer aqueles cortes.

Felizmente, fiz os cortes, e por conta deles a história ficou interessante e diferente, e consegui minha grande oportunidade. Meu conto atraiu a atenção da agente literária com quem fechei contrato e que vem guiando minha carreira com graça e precisão há mais de vinte anos.

Quando me lembro daquele incidente, estremeço só de pensar no que quase perdi. Se tivesse sido mais orgulhosa, em algum lugar no mundo hoje (provavelmente no fundo da minha gaveta) haveria um conto chamado “Peregrinos”, de dez páginas, que ninguém teria lido. Continuaria puro e intocado, como um bloco de granito polido, e eu talvez ainda estivesse trabalhando em um bar.

Também acho interessante que, depois que "Peregrinos" foi publicado na *Esquire*, eu nunca mais tenha pensado muito a respeito dele. Não era a melhor coisa que eu escreveria em toda a vida. Nem de longe. Ainda tinha muito trabalho pela frente e decidi pôr mãos à obra. "Peregrinos" não era uma relíquia sagrada, afinal de contas. Era apenas uma *coisa* — uma coisa que eu havia feito e amado, depois mudado, refeito e amado ainda assim, então publicado e posto de lado para poder passar a outras coisas.

Graças a Deus, não permiti que aquele conto se tornasse minha ruína. Ter feito de minha escrita algo tão inviolável a ponto de precisar defender sua santidade até a morte teria sido um ato de martírio triste e autodestrutivo. Em vez disso, depositei minha confiança na leveza, na flexibilidade, na malandragem. Por me dispor a encarar o trabalho com leveza, aquele conto tornou-se não uma cova, mas uma porta para uma nova vida; uma vida maravilhosa e muito mais ampla.

Tenha cuidado com sua dignidade, é o que estou tentando dizer.

Ela nem sempre é sua amiga.

Paixão × curiosidade

Posso também incentivá-lo a esquecer a paixão?

Talvez você fique surpreso por me ouvir dizer isso, mas, em certa medida, sou contra a paixão. Ou pelo menos sou contra a *pregação* da paixão. Não acredito em dizer às pessoas "Basta seguir sua paixão e tudo ficará bem". Acho que essa pode ser uma sugestão inútil e às vezes até cruel.

Em primeiro lugar, pode ser um conselho desnecessário, pois, se alguém possui uma clara paixão, a probabilidade é de que já a esteja seguindo e não precise que ninguém lhe diga para fazê-lo. (Afinal, esta é mais ou menos a definição de uma paixão: um interesse que você persegue de maneira obsessiva, quase porque não tem escolha.) No entanto, muitas pessoas não sabem exatamente qual é sua paixão, algumas têm múltiplas paixões e outras podem estar passando por uma mudança de paixão de meia-idade, e tudo isso pode deixá-las confusas, bloqueadas e inseguras.

Se você não tem uma paixão clara e alguém lhe diz casualmente para seguir sua paixão, acho que você tem o direito de mandar a pessoa para aquele lugar. Porque isso é a mesma coisa que alguém lhe dizer que, para perder peso, você só precisa ser magro, ou que, para ter uma vida sexual fantástica, você só precisa ter orgasmos múltiplos — *não ajuda em nada*!

De modo geral, sou uma pessoa bastante apaixonada, mas não todos os dias. Às vezes não faço ideia de onde minha paixão se enfiou. Nem sempre me sinto ativamente inspirada, assim como nem sempre sei ao certo o que fazer em seguida.

Mas não fico sentada esperando que a paixão venha até mim. Continuo trabalhando de maneira constante, pois acredito que é nosso privilégio, como humanos, seguir produzindo enquanto estivermos vivos, e porque gosto de produzir. Acima de tudo, continuo trabalhando porque acredito que a criatividade está sempre tentando me encontrar, mesmo quando a perdi de vista.

Então como é que você encontra a inspiração para trabalhar quando sua paixão está enfraquecida?

É aí que entra a curiosidade.

Dedicação à curiosidade

Acredito que o segredo seja a curiosidade. A curiosidade é a verdade e o caminho da vida criativa; é o alfa e o ômega, o início e o fim. Além disso, é acessível a todos. A paixão pode parecer intimidante e inalcançável às vezes, uma torre de chamas distante, acessível apenas a gênios e escolhidos por Deus. Mas a curiosidade é uma entidade mais amena, mais tranquila, mais acolhedora e mais democrática. Os riscos da curiosidade também são bem mais baixos do que os da paixão. A paixão faz com que você se divorcie, venda tudo o que tem, raspe a cabeça e se mude para o Nepal. A curiosidade não exige tanto, nem de longe.

Na verdade, a curiosidade só lhe faz uma simples pergunta: "Existe *alguma coisa* pela qual você se interessa?".

Qualquer coisa?

Mesmo que seja só um pouquinho?

Não importa quão pequena ou trivial.

A resposta não precisa virar sua vida de cabeça para baixo, fazer com que você largue o emprego, forçá-lo a mudar de religião nem deixá-lo em um estado de fuga dissociativa; só precisa prender sua atenção por um instante. Mas, nesse instante, se você puder fazer uma pausa e identificar um interesse em alguma coisa, por menor que seja, a curiosidade lhe pedirá para virar a cabeça um centímetro e dar uma olhada mais de perto naquilo.

Faça o que ela lhe pedir.

É uma pista. Pode não parecer nada, mas é uma pista. Siga essa pista. Confie nela. Veja aonde a curiosidade o leva em seguida. Então siga a pista seguinte, e a seguinte, e a seguinte. Lembre-se, não precisa ser uma voz no deserto; é apenas uma inofensiva caça ao tesouro. Seguir essa caça ao tesouro da curiosidade pode levá-lo a lugares incríveis e inesperados. Talvez o leve até sua paixão, ainda que por um caminho estranho e impossível de rastrear, de becos escuros, cavernas subterrâneas e portas secretas.

Ou talvez não o leve a lugar nenhum.

Você pode passar a vida inteira seguindo a curiosidade e não conseguir absolutamente nada com isso, exceto por uma coisa: você terá a satisfação de saber que passou toda sua existência dedicando-se a uma nobre virtude humana.

E isso deve ser mais do que o bastante para lhe permitir dizer que levou uma vida rica e esplêndida.

A caça ao tesouro

Deixe-me dar um exemplo de onde a caça ao tesouro da curiosidade pode levá-lo.

Já contei a história do maior romance que nunca escrevi: aquele livro sobre a selva amazônica que deixei de lado e que finalmente pulou de minha consciência para a de Ann Patchett. *Aquele* livro era um projeto passional. A ideia me veio em uma onda cerebral de inspiração e entusiasmo físico e emocional. Mas, quando me deixei distrair pelas exigências da vida e parei de trabalhar no livro, ele me deixou.

É assim que costuma acontecer, e foi, de fato, assim que aconteceu.

Depois que aquela ideia foi embora, não tive outra onda cerebral de inspiração e entusiasmo físico e emocional logo de cara. Fiquei esperando que uma grande ideia surgisse e anunciando ao universo que estava pronta para sua chegada, mas nenhuma grande ideia apareceu. Não houve calafrios nem embrulhos no estômago. Não houve milagre nenhum. Foi como quando são Paulo percorreu a cavalo todo o caminho até Damasco e nada aconteceu, exceto talvez o fato de ter chovido um pouco.

Na maioria dos dias, a vida é assim.

Por um tempo ocupei-me de minhas tarefas cotidianas: escrever e-mails, comprar meias, resolver pequenas emergências, enviar cartões de aniversário. Cuidei dos afazeres da vida. O tempo passou e nenhuma ideia arrebatadora veio, mas não entrei em pânico. Em vez disso, fiz o que já tinha feito tantas vezes antes: desviei a atenção da paixão para a curiosidade.

Perguntei a mim mesma: *Existe alguma coisa na qual você esteja interessada neste momento, Liz?*

Qualquer coisa?

Mesmo que seja só um pouquinho?

Não importa quão pequena ou trivial.

De fato, existia: jardinagem.

(Eu sei, eu sei... contenham os ânimos! *Jardinagem*!)

Eu tinha me mudado recentemente para uma cidadezinha no interior de Nova Jersey e comprado uma casa antiga com um belo quintal. Agora queria plantar um jardim naquele quintal.

Aquele impulso me surpreendeu. Cresci com um jardim — um jardim enorme, que minha mãe administrava com eficiência —, mas nunca me interessei muito por ele. Como era uma criança preguiçosa, me empenhei muito em *não aprender* nada sobre jardinagem, apesar de todos os esforços de minha mãe para me ensinar. Nunca fora uma criatura da terra. Não gostava da vida rural quando era criança (achava as tarefas da fazenda chatas, difíceis e nojentas) e nunca a procurara depois de adulta. Minha aversão ao trabalho árduo da vida no campo foi exatamente o que me levara a ir morar em Nova York e a viajar pelo mundo — definitivamente, não queria me tornar fazendeira. Porém, agora, havia me mudado para uma cidade ainda menor do que aquela em que cresci, e decidi que queria um jardim.

Veja bem, não queria *desesperadamente* um jardim. Não estava preparada para morrer por um jardim nem nada desse tipo. Só achei que seria legal ter um jardim.

Estava curiosa.

Era um impulso pequeno o suficiente para que eu o ignorasse. Ele mal respirava. Contudo, não o ignorei. Em vez disso, segui aquela pista de curiosidade e plantei algumas coisas.

Quando fiz isso, percebi que entendia mais daquele negócio de jardinagem do que achava que entendia. Aparentemente, tinha aprendido sem querer algumas das coisas que minha mãe me ensinara quando eu era criança, apesar de todos os meus esforços para ignorá-las. Foi gratificante descobrir aquele conhecimento latente. Plantei mais algumas coisas. Recordei mais algumas memórias de infância. Pensei mais em minha mãe, minha avó, minha longa linhagem de mulheres que trabalharam a terra. Foi bom.

Com o decorrer do tempo, fui começando a enxergar meu quintal com outros olhos. O que estava cultivando não se parecia mais com o jardim da minha mãe; tinha cada vez mais a cara do meu jardim. Por exemplo, diferentemente da minha mãe, que era excelente horticultora, eu não estava interessada em cultivar hortaliças. Estava ansiosa mesmo para pôr as mãos nas flores mais coloridas e chamativas que pudesse encontrar. Além disso, descobri que não queria apenas cultivar essas plantas; também queria aprender mais sobre elas. Mais especificamente, queria saber de onde vinham.

Aquelas íris que enfeitavam meu quintal, por exemplo — qual era sua origem? Após exatamente um minuto de pesquisa na internet, descobri que minhas íris não eram nativas de Nova Jersey, mas que, na verdade, eram originárias da Síria.

Foi legal descobrir isso.

Comecei a pesquisar mais. Os lilases que cresciam em torno do meu terreno aparentemente descendiam de arbustos similares originários da Turquia. Minhas tulipas também eram de origem turca, embora, graças à interferência holandesa, houvesse grande diferença entre as tulipas selvagens da Turquia e as variedades ornamentais domesticadas que eu tinha em meu jardim. Meu corniso era da região, mas minha forsítia não; vinha do Japão. Minha glicínia também vinha de muito longe. O capitão de um navio inglês a levara da China para a Europa e os colonos britânicos a trouxeram para o Novo Mundo (bem recentemente, na verdade).

Comecei a verificar as origens de cada uma das plantas em meu jardim e a tomar nota de tudo que estava aprendendo. Minha curiosidade foi crescendo. O que me intrigava, percebi, não era tanto o jardim em si, mas a história botânica por trás dele: um conto incrível e pouco conhecido de comércio, aventura e intriga internacional.

Poderia ser um livro, certo?

Talvez?

Continuei seguindo o rastro da curiosidade. Decidi confiar plenamente no meu fascínio. Decidi acreditar que estava interessada em todas essas trivialidades botânicas por uma boa razão. E, dito e feito: portentos e coincidências começaram a aparecer para mim, todos relacionados a esse meu novo interesse em história botânica. Topei com os livros certos, com as pessoas certas, com as oportunidades certas. Por exemplo: o especialista que precisei procurar para me informar melhor sobre a história dos musgos morava — por coincidência — a apenas alguns minutos da casa do meu avô, no interior de Nova York. E um livro de duzentos anos que eu havia herdado de meu bisavô continha a chave que eu estava procurando: um personagem histórico cheio de vida, digno de ser floreado e inserido em um romance.

Estava tudo bem ali na minha frente.

Então comecei a enlouquecer um pouco com aquilo.

Minha busca por mais informações sobre explorações botânicas acabou me levando a uma viagem ao redor do mundo: de meu quintal em Nova Jersey às bibliotecas hortícolas da Inglaterra; das bibliotecas hortícolas da Inglaterra aos jardins fitoterápicos medievais da Holanda; dos jardins fitoterápicos medievais da Holanda às cavernas cobertas de musgo da Polinésia Francesa.

Após três anos de pesquisas, viagens e investigações, finalmente me sentei para começar a escrever *A assinatura de todas as coisas*, um romance sobre uma família fictícia de exploradores botânicos do século XIX.

Era um romance que eu nunca havia planejado escrever. Começou com quase *nada*. Não me joguei de cabeça naquele livro; fui me aproximando aos poucos, uma pista após outra. Mas, quando finalmente desviei o foco da caça ao tesouro e comecei a escrever, estava completamente apaixonada pela história das explorações botânicas no século XIX. Três anos antes, nem sequer tinha *ouvido falar* de explorações botânicas do século XIX — tudo o que queria era um jardinzinho em meu quintal. Mas, agora, estava escrevendo uma história enorme sobre plantas, ciência, evolução, abolição, amor, perda e a jornada de uma mulher rumo à transcendência intelectual.

Então funcionou. No entanto, só funcionou porque eu disse *sim* a todas as pistas de curiosidade que percebi à minha volta.

Isso também é a Grande Magia.

É a Grande Magia em uma escala mais contida, mais lenta, mas não se engane: ainda é a Grande Magia.

Você só precisa aprender a confiar nela.

Tudo se resume ao *sim*.

É interessante

Os criadores que mais me inspiram, portanto, não são necessariamente os mais apaixonados, mas sim os mais curiosos.

A curiosidade é o que nos mantém trabalhando de maneira constante enquanto outras emoções mais inflamadas vêm e vão. Gosto do fato de Joyce Carol Oates escrever um novo romance a cada três minutos — e sobre assuntos completamente diferentes — porque tantas coisas parecem fasciná-la. Gosto do fato de James Franco aceitar todos os papéis que quer (um drama sério em um minuto; uma comédia rasgada no outro) porque reconhece que nem tudo o que faz precisa lhe render uma indicação ao Oscar. E gosto também do fato de, entre um papel e outro, Franco também se dedicar a outros interesses: à arte, à moda, aos estudos acadêmicos e à escrita. (E suas atividades extracurriculares são boas? *Não me importa*! Acho legal ele fazer o que quer.) Gosto do fato de Bruce Springsteen não apenas criar hinos para serem entoados por multidões em estádios lotados, mas também ter composto todo um álbum inspirado em um romance de John Steinbeck. Gosto do fato de Picasso também ter mexido com cerâmica.

Certa vez ouvi o diretor Mike Nichols falar sobre sua prolífica carreira cinematográfica e dizer que sempre tinha se interessado muito por seus filmes malsucedidos. Toda vez que via um deles passar na TV de madrugada, sentava-se para assistir tudo de novo — algo que nunca fazia com seus sucessos. Assistia àqueles filmes com curiosidade, pensando: *É tão interessante como esta cena não funcionou...*

Nenhuma vergonha nem desespero, apenas a sensação de que é tudo muito interessante. Do tipo: não é engraçado como às vezes as coisas funcionam e às vezes não? Às vezes acho que a diferença entre uma vida criativa atormentada e uma vida criativa tranquila não passa da diferença entre a palavra *horrível* e a palavra *interessante.*

Afinal de contas, resultados interessantes são apenas resultados horríveis com o volume de drama drasticamente reduzido.

Acho que muitas pessoas desistem de seguir uma vida criativa porque têm medo da palavra *interessante.* Minha professora de meditação preferida, Pema Chödrön, disse certa vez que o maior problema que ela encontra na prática de meditação das pessoas é que elas desistem exatamente quando as coisas estão começando a ficar interessantes. Em outras palavras, desistem assim que as coisas deixam de ser fáceis, assim que aquilo se torna doloroso, chato ou perturbador. Desistem assim que veem algo em suas mentes que as assusta ou magoa. Então acabam perdendo a parte boa, fantástica, transformadora — a parte em que você supera as dificuldades e penetra um novo universo em estado bruto e inexplorado dentro de si.

E talvez seja assim com todos os aspectos importantes da vida. O que quer que você esteja buscando, o que quer que esteja criando, tenha cuidado para não desistir cedo demais. Como adverte meu amigo, o pastor Rob Bell: "Não passe correndo pelas experiências e circunstâncias que mais podem transformá-lo".

Não perca a coragem no momento em que as coisas deixarem de ser fáceis ou gratificantes.

Porque esse é o momento em que o *interessante* começa.

Fantasmas famintos

Você vai fracassar.

É uma droga e odeio ter que dizer isso, mas é verdade. Você assumirá riscos criativos que muitas vezes não darão em nada. Certa vez, joguei fora um livro inteiro que tinha escrito porque não deu certo. Trabalhei com afinco para terminá-lo, mas realmente não funcionou, então acabei jogando fora. (Não sei por que não deu certo! Como é que posso saber? Por acaso sou alguma espécie de médica-legista de livros? Não tenho nenhum atestado com a causa do óbito. *O negócio simplesmente não funcionou*!)

Fico triste quando fracasso, decepcionada. E a decepção pode fazer com que me sinta enojada de mim mesma ou mal-humorada com os outros. A esta altura da vida, porém, aprendi a lidar com a decepção sem mergulhar muito fundo em crises de vergonha, raiva ou inércia. Isso porque, com o passar do tempo, fui compreendendo qual é a parte de mim que sofre quando fracasso: apenas meu ego.

É simples assim.

Veja bem, não tenho nada contra o ego, de modo geral. Todos temos um. (Alguns talvez tenham até *dois*.) Assim como o medo é necessário para a sobrevivência humana, o ego também é essencial para nos fornecer os contornos fundamentais da individualidade — para nos ajudar a proclamar nossa personalidade, definir nossos desejos, entender nossas preferências e defender nossas fronteiras. O ego, em termos simples, é o que faz de cada um de nós o que somos. Sem ele, não passamos de coisas amorfas. Portanto, como afirma a socióloga e escritora Martha Beck: "Não saia de casa sem ele".

Mas não deixe que seu ego assuma completamente o controle da situação, caso contrário ele acabará com a festa. Seu ego é um excelente criado, mas é péssimo senhor, pois a única coisa que quer é receber recompensas, recompensas e mais recompensas. E como nunca há recompensas suficientes para satisfazê-lo, ele sempre ficará decepcionado. Se não for controlado, esse tipo de decepção pode acabar com você. Um ego desgovernado é o que os budistas chamam de "fantasma faminto": sempre esfomeado, sempre uivando, carente e insaciável.

Dentro de todos nós existe uma versão dessa fome. Todos temos aquela presença lunática que vive no fundo de nossas entranhas e se recusa a se satisfazer com o que quer que seja. Eu tenho, você tem, todos nós temos. O que me salva é o seguinte: *sei que não sou apenas um ego*; *sou também uma alma*. E sei que minha alma não está nem aí para recompensas ou fracassos. Minha alma não é guiada por sonhos de louvor ou medo de críticas. Ela nem sequer possui uma linguagem para esse tipo de conceito. Quando cuido dela, minha alma é uma fonte de orientação muito mais ampla e fascinante do que meu ego jamais será, pois ela só deseja uma coisa: *o encantamento*. E, como a criatividade é o caminho mais eficiente para o encantamento, é nela que me refugio. A criatividade alimenta minha alma e acalma o fantasma faminto, me salvando assim da parte mais perigosa de mim mesma.

Então, sempre que aquela vozinha aguda de insatisfação surge dentro de mim, posso dizer: "Ah, meu ego! Aí está você, velho amigo!". É a mesma coisa quando estou sendo criticada e me dou conta de que minha reação é me sentir insultada, angustiada, e ficar na defensiva. É apenas meu ego se inflamando e testando seu poder. Nessas circunstâncias, aprendi a observar cuidadosamente minhas emoções acaloradas, mas tento não levá-las muito a sério, pois sei que foi só meu ego quem se feriu, nunca minha alma. É só meu ego que quer se vingar ou ganhar o maior prêmio. Ele é o único que quer começar uma guerra no Twitter contra um *hater*, fica emburrado por causa de um insulto ou decide desistir — acreditando ter toda a razão em estar indignado — porque não alcancei o resultado que queria.

Nesses momentos, sempre consigo estabilizar a vida retornando mais uma vez à minha alma. Pergunto a ela: "E o que é que *você* quer, minha querida?".

A resposta é sempre a mesma: "Mais encantamento, por favor".

Enquanto eu continuar seguindo nessa direção — rumo ao encantamento —, sei que minha alma sempre estará bem, que é o que importa. E como a criatividade ainda é para mim a maneira mais eficaz de acessar o encantamento, é ela minha escolha. Escolho bloquear todas as distrações e os ruídos externos (e internos) e sempre voltar à criatividade. Pois, sem essa fonte de encantamento, sei que estou condenada. Sem ela, meu destino é vagar para sempre pelo mundo em um estado de perpétua insatisfação — nada além de um fantasma uivante, preso em um corpo feito de carne em lenta decomposição.

E isso, para mim, não serve.

Faça outra coisa

Então como é que você se livra do fracasso e da vergonha para seguir levando uma vida criativa?

Em primeiro lugar, perdoe-se. Se fez alguma coisa que não deu certo, deixe para lá. Lembre-se de que você é apenas um principiante, ainda que esteja trabalhando em sua arte há cinquenta anos. Aqui, somos todos principiantes e morreremos todos principiantes. Então deixe para lá. Esqueça o último projeto e vá procurar o próximo de coração aberto. Quando eu escrevia para a revista *GQ*, meu editor-chefe, Art Cooper, certa vez pegou para ler um artigo no qual eu vinha trabalhando havia cinco meses (um relato aprofundado de uma viagem à Sérvia, que lidava com questões políticas e que, aliás, custou uma pequena fortuna à revista). Uma hora depois, ele voltou e me disse o seguinte: "Isto não está nada bom e nunca vai ficar. Parece que você não tem capacidade para escrever esta história. Não quero que perca nem mais um minuto nisso. Passe imediatamente ao próximo projeto".

O que foi bastante abrupto e chocante, mas — minha nossa! — que *eficiência*!

Obediente, segui adiante.

Adiante, adiante, adiante — sempre adiante.

Não pare, siga em frente.

O que quer que você faça, tente não ficar pensando muito em seus fracassos. Você não precisa realizar autópsias em seus desastres. Não precisa saber o que tudo aquilo significa. Lembre-se de que os deuses da criatividade não são obrigados a nos dar explicações para nada. Aceite sua decepção, reconheça-a pelo que é e siga em frente. Faça picadinho do fracasso e use-o como isca para tentar fisgar outro projeto. Pode ser que um dia tudo passe a fazer sentido — porque você precisou passar por toda essa bagunça para chegar a um lugar melhor. Ou talvez nunca venha a fazer sentido.

Que seja.

Siga em frente assim mesmo.

O que quer que aconteça, mantenha-se ocupado. (Sempre sigo este sábio conselho de Robert Burton, estudioso do século XVII, a respeito de como sobreviver à melancolia: "Não fique isolado, não fique parado".) Encontre algo para fazer — *qualquer coisa*, mesmo que seja um tipo completamente diferente de trabalho criativo —, só para esquecer a angústia e a pressão. Certa vez, quando estava tendo dificuldades com um livro, me matriculei em um curso de desenho só para abrir algum outro tipo de canal criativo em minha mente. Não sei desenhar muito bem, mas isso não importava; a única coisa que importava era que eu estava me mantendo em comunicação com o trabalho artístico de alguma forma. Estava futucando meus próprios botões, tentando alcançar a inspiração de qualquer maneira possível. Finalmente, após ter desenhado o suficiente, a escrita recomeçou a fluir.

Einstein chamava essa tática de "jogo combinatório": a exploração de um canal mental para abrir outro. É por isso que ele costumava tocar violino quando estava tendo dificuldades para resolver um problema matemático; após algumas horas de sonatas, normalmente conseguia encontrar a resposta que procurava.

Creio que parte da estratégia do jogo combinatório está em diminuir os riscos para, assim, acalmar o ego e os medos. Tive um amigo que, quando jovem, foi um talentoso jogador de beisebol, mas acabou não aguentando a pressão e baixou seu rendimento em campo. Então abandonou o beisebol e começou a jogar futebol. Não era um grande jogador, mas gostava do esporte e, quando fracassava, não ficava tão arrasado, pois seu ego podia se tranquilizar, dizendo a si mesmo que aquele não era seu jogo. Tudo o que importava era o fato de estar fazendo *alguma* atividade física, algo que o trouxesse de volta à sua própria pele, que o fizesse parar de se preocupar e lhe permitisse recuperar uma sensação de desenvoltura corporal. Enfim, foi divertido. Após um ano jogando futebol só por diversão, voltou ao beisebol e, de repente, se deu conta de que ainda conseguia jogar — melhor e com mais leveza do que nunca.

Em outras palavras, se você não conseguir fazer o que quer, vá fazer alguma outra coisa.

Vá passear com o cachorro, catar todo o lixo que encontrar na rua em frente a sua casa, vá passear de novo com o cachorro, fazer uma torta de pêssego, pintar umas pedrinhas com esmalte colorido e colocá-las em uma pilha. Você pode achar que isso é procrastinação, mas, com a intenção certa, não é; é movimento. E qualquer movimento é melhor do que a inércia, pois a inspiração sempre será atraída para o movimento.

Então acene os braços. Faça alguma coisa. Produza alguma coisa. *Qualquer coisa.*

Chame atenção para si com algum tipo de ação criativa e — acima de tudo — *confie* em que, se criar uma comoção gloriosa o bastante, mais cedo ou mais tarde a inspiração voltará a encontrá-lo.

Pinte sua bicicleta

O poeta, escritor e crítico australiano Clive James tem uma história perfeita sobre como certa vez, durante um período particularmente ruim de seca criativa, foi levado a escrever novamente.

Após um enorme fracasso (uma peça escrita para os palcos londrinos, que não só foi massacrada pela crítica como também arruinou financeiramente sua família e lhe custou vários amigos queridos), James se afundou em um pântano de depressão e vergonha. Depois que a peça saiu de cartaz, não fazia nada além de ficar sentado no sofá, olhando para a parede, envergonhado e humilhado, enquanto a esposa se virava para segurar as pontas e cuidar da família. Ele não conseguia imaginar como encontraria a coragem para voltar a escrever.

Após um longo período de depressão, contudo, as filhas pequenas de James finalmente interromperam seu processo de luto com um pedido trivial. Perguntaram ao pai se ele poderia fazer alguma coisa para deixar suas bicicletas de segunda mão um pouco mais bonitas. Cumprindo seu dever de pai (ainda que não estivesse muito contente), James atendeu ao pedido. Forçou-se a deixar o sofá e deu início ao projeto.

Primeiro, pintou cuidadosamente as bicicletas de vermelho vivo. Depois, cobriu o raio das rodas de prateado e pôs listras enviesadas nos suportes dos bancos. Mas não parou por aí. Quando a tinta secou, começou a espalhar centenas de minúsculas estrelinhas prateadas e douradas pelas bicicletas, formando um campo de constelações primorosamente detalhadas. As meninas foram ficando impacientes para que ele terminasse, mas James se deu conta de que simplesmente não conseguia parar de pintar estrelas ("estrelas de quatro pontas, de seis pontas e as raríssimas estrelas de oito pontas com pontinhos em volta"). Era um trabalho incrivelmente gratificante. Quando por fim terminou, as filhas saíram pedalando suas novas bicicletas mágicas, encantadas com o resultado, enquanto aquele grande homem ficou lá sentado, se perguntando que diabos faria em seguida.

No dia seguinte, as filhas trouxeram para casa outra garotinha da vizinhança, que perguntou ao sr. James se ele poderia pintar estrelas na bicicleta *dela* também. Ele topou. Confiou no pedido. Seguiu a pista. Quando terminou, outra criança apareceu, depois outra e mais outra. Logo havia uma fila de crianças, todas esperando para que suas humildes bicicletas fossem transformadas em obras de arte estelares.

E foi assim que um dos mais importantes escritores de sua geração passou várias semanas sentado na entrada da garagem, pintando milhares e milhares de minúsculas estrelinhas nas bicicletas de todas as crianças da vizinhança. E, ao fazer isso, foi lentamente descobrindo algo. Percebeu que "o fracasso tem uma função. Ele faz com que você se pergunte se realmente quer seguir produzindo". Para sua surpresa, James percebeu que a resposta era *sim*. Realmente queria continuar produzindo. Naquele momento, tudo o que queria produzir eram belas estrelinhas em bicicletas de crianças. Mas, enquanto fazia isso, algo cicatrizava dentro de si. Algo estava voltando à vida. Pois quando a última bicicleta foi redecorada e todas as estrelas em seu cosmos pessoal foram diligentemente pintadas de volta em seu lugar, Clive James por fim teve o seguinte pensamento: *Escreverei sobre isso um dia.*

E, naquele momento, estava livre.

O fracasso partira; o criador retornara.

Ao fazer outra coisa — e ao fazê-la de todo o coração —, encontrara o caminho de volta do inferno da inércia e em direção à Grande Magia.

Confiança inabalável

O ato final de confiança criativa — e às vezes o mais difícil — é expor seu trabalho ao mundo depois de tê-lo concluído.

A confiança de que estou falando aqui é a mais inabalável de todas. Não é uma confiança que afirma "Tenho certeza de que serei um sucesso", pois aí não se trata de confiança inabalável; essa é uma confiança inocente, e o que estou lhe pedindo é que ponha de lado a inocência por um instante e abrace algo bem mais estimulante e muito mais poderoso. Como eu disse antes e como todos sabemos no fundo, não há garantia de sucesso nas áreas criativas. Nem para você nem para mim nem para ninguém. Nem agora nem nunca.

Você vai expor seu trabalho mesmo assim?

Conversei recentemente com uma mulher que me disse: "Estou quase pronta para começar a escrever meu livro, mas estou tendo dificuldade para confiar em que o universo me trará o resultado que quero".

Bem, o que eu poderia lhe responder? Detesto ser estraga-prazeres, mas o universo pode *não trazer* o resultado que ela quer. Sem dúvida, o universo lhe trará alguma espécie de resultado. Os mais espiritualizados diriam até que o universo provavelmente lhe trará o resultado de que ela *precisa*, embora esse talvez não seja o resultado que ela *quer*.

A confiança inabalável requer que você exponha seu trabalho ainda assim, pois ela sabe que o resultado não importa.

O resultado *não pode importar*.

A confiança inabalável pede que você se mantenha firme, acreditando sempre na seguinte verdade: "Você é digno, qualquer que seja o resultado. Continuará fazendo seu trabalho, qualquer que seja o resultado. Continuará compartilhando seu trabalho, qualquer que seja o resultado. Você nasceu para criar, qualquer que seja o resultado. Nunca deixará de confiar no processo criativo, mesmo quando *não entender* o resultado".

Há uma pergunta famosa que aparece em quase todo livro de autoajuda já escrito: o que você faria se soubesse que não pode fracassar?

Mas sempre enxerguei as coisas de outra maneira. Acho que a pergunta mais corajosa de todas é esta: o que você faria mesmo que soubesse que é bem possível que venha a fracassar?

O que você ama tanto fazer que as palavras *fracasso* e *sucesso* essencialmente se tornam irrelevantes?

O que você ama até mais do que seu próprio ego?

Quão inabalável é a sua confiança nesse amor?

Você pode contestar essa ideia de confiança inabalável. Pode se opor a ela. Pode querer socá-la e chutá-la. Pode exigir saber dela: "Por que eu deveria me dar ao trabalho de produzir alguma coisa quando é possível que não consiga *nenhum* resultado?".

A resposta normalmente virá com um travesso sorriso de malandro: "Porque é *divertido*, não é?".

De qualquer forma, o que mais você fará com seu tempo aqui na Terra? *Não* produzir nada? Não fazer coisas interessantes? Não seguir seu amor e sua curiosidade?

Afinal de contas, sempre existe essa possibilidade. Você tem livre-arbítrio. Se a vida criativa se tornar difícil demais ou não for gratificante o suficiente para seu gosto, você pode parar quando quiser.

Mas, sejamos francos, é isso mesmo que quer fazer?

Ora, pense bem: *e depois, o que acontece*?

Caminhe de cabeça erguida

Certa vez, vinte anos atrás, eu estava em uma festa conversando com um rapaz cujo nome não recordo ou talvez nunca me tenha sido dito. Às vezes acho que aquele homem entrou na minha vida com a finalidade única de me contar esta história, que desde então me serve de inspiração.

Era uma história sobre seu irmão mais novo, que estava tentando se tornar artista. O rapaz admirava profundamente os esforços do irmão e me contou uma anedota que ilustrava quão corajoso, criativo e confiante o irmão era. Para os fins desta história, chamemos o irmão de "Irmãozinho".

Irmãozinho, aspirante a pintor, economizou todo seu dinheiro e foi para a França, para se cercar de beleza e inspiração. Gastava pouco em aluguel, pintava todos os dias, visitava museus, viajava para locais pitorescos, não se intimidava em falar com todo mundo que encontrava e mostrava seu trabalho a quem quer que quisesse admirá-lo. Certa tarde, em um café, Irmãozinho começou a conversar com um grupo de jovens elegantes que, como veio a descobrir depois, eram membros da alta aristocracia. Os charmosos jovens aristocratas simpatizaram com Irmãozinho e o convidaram para uma festa naquele fim de semana, em um castelo no vale do Loire. Prometeram a Irmãozinho que aquela seria a festa mais fabulosa do ano. Lá estariam os ricos e famosos, além de vários membros da realeza europeia. E o melhor de tudo: seria um baile de máscaras, e ninguém economizaria nas fantasias. Seria imperdível. Prepare sua fantasia, disseram, e junte-se a nós!

Animado, Irmãozinho trabalhou a semana inteira em uma fantasia que, estava certo, seria um arraso. Percorreu Paris em busca de materiais e não poupou nos detalhes nem na audácia de sua criação. No dia da festa, alugou um carro e dirigiu até o castelo, que ficava a três horas de Paris. Trocou de roupa no carro e subiu a escadaria do castelo. Disse seu nome ao mordomo, que o encontrou na lista de convidados e o convidou educadamente a entrar. Irmãozinho entrou no salão de festas de cabeça erguida.

Foi quando percebeu imediatamente seu erro.

Era de fato uma festa à fantasia — seus amigos não o haviam enganado —, mas ele tinha perdido um detalhe na tradução: era uma festa à fantasia *temática*. E o tema era "uma corte medieval".

E Irmãozinho estava fantasiado de lagosta.

À sua volta, as pessoas mais ricas e lindas da Europa, vestidas com adereços dourados, elaboradas roupas de época e adornadas com magníficas joias de família, esbanjavam elegância enquanto valsavam ao som de uma orquestra primorosa. Irmãozinho, por outro lado, vestia um collant vermelho, meia-calça vermelha, sapatilhas de balé vermelhas e gigantescas garras de espuma vermelha. Sem falar em seu rosto, que também estava pintado de vermelho. Esta é a parte da história em que preciso explicar que Irmãozinho era bem magrelo, tinha mais de um metro e oitenta de altura e, com as longas antenas que levava na cabeça, parecia ainda mais alto. Era também, claro, o único americano no salão.

Ficou parado no topo da escadaria por um momento longo e constrangedor. Quase saiu correndo de vergonha. Correr de vergonha parecia ser a resposta mais digna àquela situação. Mas não correu. De alguma maneira, conseguiu encontrar forças para ficar. Afinal de contas, tinha chegado até ali. Dera um duro danado para fazer aquela fantasia e estava orgulhoso dela. Respirou fundo e caminhou até a pista de dança.

Mais tarde, Irmãozinho contou que, sem a experiência de artista aspirante, não teria tido a coragem e a liberdade para ser tão vulnerável e absurdo. Algo na vida já o havia ensinado a simplesmente dar a cara a tapa. Aquela fantasia era o que ele havia feito, afinal de contas, então era aquilo que estava trazendo para a festa. Era o melhor que tinha. Era *tudo* o que tinha. Então decidiu confiar em si mesmo, confiar em sua fantasia, confiar nas circunstâncias.

Enquanto atravessava a multidão de aristocratas, um silêncio se abateu sobre a festa. As pessoas pararam de dançar. A orquestra parou de tocar. Os outros convidados se reuniram em torno de Irmãozinho. Finalmente, alguém lhe perguntou de que diabos ele estava fantasiado.

Irmãozinho fez uma longa reverência e anunciou, em tom solene: "Sou a lagosta da corte".

E todos começaram a rir.

Não um riso zombeteiro, mas sim alegre. Eles o amaram. Amaram sua doçura, sua esquisitice, suas gigantescas garras vermelhas, sua bunda magrela naquela chamativa meia-calça de lycra. Ele era o malandro entre eles e foi a alma da festa. Naquela noite, Irmãozinho acabou até dançando com a rainha da Bélgica.

É assim que se faz, gente.

Nunca criei nada na vida que não me fizesse sentir, em determinado ponto, como se fosse aquele cara que acabou de entrar em um baile elegante vestindo uma fantasia de lagosta feita em casa. Mas você precisa entrar naquele salão assim mesmo e de cabeça erguida. Você criou aquilo, então tem o direito de mostrá-lo. Nunca peça desculpas, nunca dê muitas explicações e nunca se envergonhe de sua criação. Você fez o melhor que pôde com o conhecimento e os materiais que tinha e no tempo que lhe foi disponibilizado. Você foi convidado e compareceu; não há nada mais que possa fazer.

Talvez você seja posto para fora, mas talvez não. Na verdade, é provável que não. O salão de festas normalmente é mais acolhedor e solidário do que você imagina. Alguém pode até achar que você é brilhante e incrível. Você pode até acabar dançando com um membro da realeza.

Ou talvez acabe tendo que dançar sozinho no canto do castelo, sacudindo no ar suas enormes e desajeitadas garras de espuma vermelha.

Tudo bem. Às vezes é assim.

O que você *absolutamente não deve fazer* é dar meia-volta e ir embora. Caso contrário, perderá a festa, e isso seria uma pena, pois — acredite — não chegamos tão longe nem fizemos todo esse esforço só para perder a festa no último momento.

Divindade

Graça acidental

Minha última história vem de Bali, de uma cultura que encara a criatividade de uma maneira muito diferente da nossa, aqui no Ocidente. Quem me contou essa história foi meu velho amigo e professor Ketut Liyer, um curandeiro que, anos atrás, aceitou me ter como pupila e compartilhar comigo suas consideráveis sabedoria e graça.

Como me explicou Ketut, a dança balinesa é uma das maiores expressões artísticas do mundo. É belíssima, complexa e muito antiga. É também sagrada. Há séculos as danças são executadas ritualmente nos templos sob a tutela dos sacerdotes. A coreografia é protegida com zelo e passada de geração para geração. Essas danças têm como finalidade nada menos que manter o universo intacto. Ninguém pode afirmar que os balineses não levam sua dança a sério.

Na década de 1960, o turismo em massa chegou a Bali pela primeira vez. Os turistas estrangeiros ficaram imediatamente fascinados pelas danças sagradas. Os balineses, que não se acanham em exibir sua arte, recebiam de braços abertos os turistas nos templos para assistir às danças. Cobravam uma pequena taxa por esse privilégio, os turistas pagavam e todos ficavam felizes.

No entanto, à medida que o interesse dos turistas por essa antiga forma de arte foi aumentando, os templos começaram a ficar lotados de espectadores. A situação foi ficando um pouco caótica. Além disso, os templos não eram particularmente confortáveis, e os turistas precisavam se sentar no chão, com as aranhas, a umidade etc. Então alguma brilhante alma balinesa teve a fantástica ideia de levar os dançarinos até os turistas. Não seria mais agradável e confortável para os australianos queimados de sol se pudessem assistir às danças, digamos, em volta da piscina de um resort em vez de dentro de um templo úmido e escuro? E os turistas poderiam ao mesmo tempo desfrutar de um coquetel e realmente aproveitar o show! E os dançarinos também ganhariam mais dinheiro, pois haveria espaço para públicos maiores.

Então os balineses começaram a apresentar suas danças sagradas nos resorts para melhor acomodar os turistas pagantes, e todos ficaram felizes.

Bem, na verdade, nem todos ficaram felizes.

Os visitantes ocidentais mais escrupulosos estavam escandalizados. Aquilo era uma profanação do sublime! Aquelas eram danças sagradas! Era uma arte *sagrada*! Não se pode fazer uma dança sagrada no ambiente profano de um resort de praia — e por dinheiro, ainda por cima! Era uma abominação! Prostituição espiritual, artística e cultural! Sacrilégio!

Esses ocidentais escrupulosos compartilharam seus receios com os sacerdotes balineses, que os escutaram educadamente, ainda que a noção dura e impiedosa de "sacrilégio" não se traduza com facilidade para o pensamento balinês. Da mesma forma, as distinções entre "sagrado" e "profano" não são tão inequívocas quanto no Ocidente. Os sacerdotes balineses não entendiam ao certo por que aqueles ocidentais escrupulosos enxergavam os resorts de praia como lugares profanos. (Afinal, a divindade não estava presente ali como em qualquer outro lugar na Terra?) Também não entendiam muito bem por que os simpáticos turistas australianos, com suas roupas de banho grudentas, não podiam assistir às danças sagradas enquanto bebiam seus Mai Tais. (Será que aquelas pessoas, que pareciam ser tão boas e amáveis, não mereciam testemunhar a beleza?)

Mas os ocidentais escrupulosos estavam claramente incomodados com a situação, e os balineses, que não gostam de contrariar seus visitantes, decidiram resolver o problema.

Os sacerdotes e os mestres da dança se reuniram e tiveram uma ideia inspirada — uma ideia inspirada em uma maravilhosa ética de leveza e confiança. Decidiram que criariam novas danças que *não fossem* sagradas e que somente essas danças com "certificado de laicidade" seriam apresentadas para os turistas nos resorts. As danças sagradas seriam devolvidas aos templos e reservadas apenas às cerimônias religiosas.

E foi exatamente o que fizeram. E o fizeram com facilidade, sem nenhum drama nem trauma. Adaptando gestos e passos das antigas danças sagradas, elaboraram novas danças que eram basicamente uma grande baboseira, e começaram a apresentar esses movimentos sem sentido nos resorts turísticos em troca de dinheiro. E todos ficaram felizes, pois os dançarinos estavam dançando, os turistas, se divertindo, e os sacerdotes, ganhando dinheiro para os templos. E o melhor de tudo era que os ocidentais escrupulosos agora podiam relaxar, pois a distinção entre o sagrado e o profano fora restabelecida.

Tudo estava em seu devido lugar — na mais perfeita ordem e definitivamente resolvido.

Acontece que não existe ordem perfeita nem nada é definitivo.

No decorrer dos anos seguintes, aquelas novas danças bobas e sem significado foram se tornando cada vez mais refinadas. Os jovens dançarinos foram se aperfeiçoando nelas e, trabalhando com um novo senso de liberdade e inovação, aos poucos transformaram as apresentações em algo realmente magnífico. Na verdade, as danças estavam ficando cada vez mais sublimes. Em mais um exemplo de uma sessão espírita inesperada, apesar de todos os seus esforços para se afastar da espiritualidade, aqueles dançarinos balineses pareciam estar de alguma forma atraindo a Grande Magia dos céus, ainda que sem querer. Bem ali, à beira da piscina. Tudo o que pretendiam fazer no início era divertir os turistas e se divertir, mas agora estavam esbarrando em Deus todas as noites, e todo mundo podia ver. Podia-se argumentar que as novas danças haviam se tornado ainda *mais* sublimes do que as velhas e batidas danças sagradas.

Os sacerdotes balineses, percebendo esse fenômeno, tiveram uma ideia maravilhosa: por que não pegar emprestadas as novas danças inventadas, levá-las para os templos, incorporá-las às antigas cerimônias religiosas e usá-las como uma forma de oração?

Aliás, por que não *substituir* algumas daquelas velhas e batidas danças sagradas por essas novas danças inventadas?

E assim fizeram.

Foi então que as danças sem significado se tornaram danças sagradas, porque as danças sagradas tinham perdido seu significado.

E todos ficaram felizes — exceto aqueles ocidentais escrupulosos, que agora estavam totalmente confusos, pois não sabiam mais o que era sagrado e o que era profano. Tudo havia se misturado. Os limites entre superior e inferior, leve e pesado, certo e errado, nós e eles, Deus e a Terra já não eram tão claros... e todo esse paradoxo os deixava em pânico.

Não consigo deixar de imaginar que esse era o plano dos sacerdotes malandros desde o início.

Em conclusão

A criatividade é sagrada e ao mesmo tempo não é.

Aquilo que produzimos tem uma enorme importância e também não tem a menor importância.

Labutamos sozinhos e somos acompanhados por espíritos.

Morremos de medo e somos corajosos.

A arte é um trabalho devastador e também um maravilhoso privilégio.

A divindade só nos leva a sério quando nos encontramos em nosso estado mais brincalhão.

Abra espaço para que todos esses paradoxos sejam igualmente verdadeiros em sua alma e prometo que poderá fazer o que quiser.

Então se acalme e volte ao trabalho, está bem?

Os tesouros escondidos dentro de você estão esperando que você diga *sim*.

AGRADECIMENTOS

Sou profundamente grata às seguintes pessoas por seu incentivo, sua ajuda e sua inspiração: Katie Arnold-Ratliff, Brené Brown, Charles Buchan, Bill Burdin, Dave Cahill, Sarah Chalfant, Anne Connell, Trâm-Anh Doan, Markus Dohle, Rayya Elias, Miriam Feuerle, Brendan Fredericks, o falecido Jack Gilbert, Mamie Healey, Lydia Hirt, Eileen Kelly, Robin Wall Kimmerer, Susan Kittenplan, Geoffrey Kloske, Cree LeFavour, Catherine Lent, Jynne Martin, Sarah McGrath, Madeline McIntosh, Jose Nunes, Ann Patchett, Alexandra Pringle, Rebecca Saletan, Wade Schuman, Kate Stark, Mary Stone, Andrew Wylie, Helen Yentus e, é claro, os Gilbert e os Olson, que me ensinaram, através de seu exemplo, a ser uma criadora.

Também sou grata aos organizadores das conferências TED por me permitirem subir a seu seriíssimo palco (duas vezes!) para falar sobre assuntos espirituais, estapafúrdios e criativos. Aquelas palestras me levaram a me aprofundar nestes pensamentos, e fico contente por isso.

Agradeço ao Etsy por acolher este projeto e por oferecer um lar a tantos outros projetos criativos. Vocês exemplificam perfeitamente tudo de que estou falando aqui.

Por fim, gostaria de enviar todo meu amor e agradecer de coração à minha linda comunidade no Facebook. Sem suas perguntas, suas ideias e seus corajosos atos diários de autoexpressão, este livro não existiria.

1ª EDIÇÃO [2015] 9 reimpressões

ESTA OBRA FOI COMPOSTA PELA ABREU'S SYSTEM EM ADOBE GARAMOND
E IMPRESSA EM OFSETE PELA LIS GRÁFICA SOBRE PAPEL PÓLEN DA
SUZANO S.A. PARA A EDITORA SCHWARCZ EM SETEMBRO DE 2024

A marca FSC® é a garantia de que a madeira utilizada na fabricação do papel deste livro provém de florestas que foram gerenciadas de maneira ambientalmente correta, socialmente justa e economicamente viável, além de outras fontes de origem controlada.